W9-AWM-191

# 개념없음

{ 기독교인의 인생을 빛나게 할 삶의 태도 10 }

김 남 준

은혜가 담기는
삶의 태도
10

생명의말씀사

**김남준** 현 안양대학교의 전신인 대한신학교 신학과를 야학으로 마치고, 총신대학교에서 목회학 석사와 신학 석사 학위를 받았으며, 신학 박사 과정에서 공부했다. 안양대학교와 현 백석대학교에서 전임 강사와 조교수를 지냈다. 1993년 **열린교회**(www.yullin.org)를 개척하여 담임하고 있으며, 현재 총신대학교 실천신학과 조교수로도 재직하고 있다. 시류와의 영합을 거절하는 청교도적 설교로 널리 알려진 저자는 조국 교회에 바르고 깊이 있는 개혁신학적 목회가 뿌리내리기를 갈망하며 연구와 설교, 집필에 힘쓰고 있다.

주요 저서로는 **1997년도 기독교 출판문화상**을 수상한 『예배의 감격에 빠져라』와 **2003년도 기독교 출판문화상**을 수상한 『거룩한 삶의 실천을 위한 마음지킴』, **2005년도 기독교 출판문화상**을 수상한 『죄와 은혜의 지배』를 비롯하여 『구원과 하나님의 계획』, 『게으름』, 『자기 깨어짐』, 『하나님의 도덕적 통치』, 『교사 리바이벌』, 『자네, 정말 그 길을 가려나』, 『목회자의 아내가 살아야 교회가 산다』, 『설교자는 불꽃처럼 타올라야 한다』, 『돌이킴』, 『싫증』 등 다수가 있다.

# 개념없음

ⓒ **생명의말씀사** 2011

2011년 7월 15일 1판 1쇄 발행
2011년 10월 15일    14쇄 발행

펴 낸 이   김창영
펴 낸 곳   생명의말씀사
등   록   1962. 1. 10.  No.300-1962-1
주   소   110-101 서울 종로구 송월동 32-43
전   화   (02)738-6555(본사), (02)3159-7979(영업부)
팩   스   (02)739-3824(본사), 080-022-8585(영업부)

기 획 편 집   태현주, 조해림
디 자 인   디자인집, 박인선
인   쇄   영진문원
제   본   정문바인텍

ISBN 978-89-04-15953-6

저작권자의 허락 없이 이 책의 일부 또는 전체를
무단 복제, 전재, 발췌하면 저작권법에 의해 처벌을 받습니다.

# 개념없음

{ 기독교인의 인생을 빛나게 할 삶의 태도 10 }

## 삶의 태도는 은혜가 담기는 그릇입니다

이 세상에서 그리스도인은 나그네입니다.

예수 그리스도를 사랑하고 하늘 가치를 따라 살아가는 사람은 자신이 이 세상에 속한 사람이 아니라는 사실을 매일 확인합니다. 그는 세상에 대한 낯섦과 소외는 물론이고, 때로는 고난과 핍박도 겪게 됩니다.

그러나 이 세상에서 그리스도인이 겪는 고통과 괴로움은 모두 그가 하늘 가치를 따라 살기 때문에 찾아오는 것은 아닙니다. 때로는 하나님의 말씀에 불순종하는 악들이 쓰디쓴 열매가 되어 고난으로 찾아오기도 합니다.

오히려 그리스도인이 이 세상에서 이웃과 함께 살아가면서 겪는 대부분의 고난들은 그의 지속적인 '삶의 태도'에서 비롯되는 경우가 많습니다.

그리스도인은 거기서 말씀과 성령을 통하여 자기의 죄를 발견하고 하나님께 회개함으로써 새로운 삶을 살아가야 합니다. 하늘로부터 오는 거룩한 은혜와 함께 덕스러운 삶의 태도를 가지고 이 세상을 살아가야 합니다.

언젠가 한 친구를 위하여 늘 기도하던 교인이 제게 물었습니다.

"목사님, 제게는 뜨거운 믿음을 가진 친구가 있습니다. 제가 방황할 때 그를 통해서 영적인 도움을 많이 받았습니다. 하나님을 사랑하고 믿으며 많은 은혜를 받으면서 사는 친구인데 이상하게 물질의 축복만은 누리지 못하고 있습니다. 그래서 오랜 세월을 늘 쪼들리며 살아왔는데 요즘은 자신의 그런 처지 때문에 많이 힘들어 합니다. 거기에도 하나님의 어떤 뜻이 있겠지요?"

저는 대답하였습니다.

"하나님의 크신 섭리도 있겠지만 저는 그의 삶의 태도와 보다 깊은 관련이 있을 거라고 생각합니다. 멀리 보면 하나님의 특별한 뜻이 있어서 좋은 믿음을 가지고 있음에도 경제적으로는 어렵게 살아가는 것이겠지요. 그리고 경제적인 어려움을 통해서 하나님을 더 의지하는 순수한 신앙을 유지할 수도 있을 것입니다. 그러나 일반 섭리에 속하는 축복들은 더 많은 경우에는 이웃과 함께 살아가는 실제적인 삶의 태도와 더 밀접한 연관이 있습니다."

우리의 삶의 올바른 태도는 하나님의 은혜가 담기는 그릇입니다. 가뭄에 내리는 단비를 아무리 귀히 여겨 모으고자 하여도 대바구니에는 담을 수 없는 것처럼 삶에 대한 잘못된 태도는 영혼과 마음에 부어 주시는 은혜를 헛되이 잃어버리게 합니다.

하나님의 말씀에 대한 진지한 탐구, 성령의 은혜에 대한 열렬한 간구와 함께 바르고 덕스러운 삶의 태도들을 배우고 익혀야 할 이유가 여기에 있습니다.

오늘날과 같이 그리스도인들이 사회의 비난을 받는 때에는 더욱 그러합니다. 비둘기 같은 순결함뿐 아니라 뱀처럼 지혜로워지는 법도 익혀야 합니다.

이 작은 책은 처세술에 대한 것이 아닙니다. 성도가 받은 거룩한 은혜를 유지하고 그 자원을 오로지 하나님의 영광을 위하여 쓰는 길을 전하는 가운데 성경에서 배운 삶의 태도에 대한 가르침들입니다.

구원의 은혜를 받은 독자들이 이 책을 통해 이 세상에서 오래도록 빛과 소금으로 살아갔으면 좋겠습니다.

2011년 6월

그리스도의 노예 **김남준**

차 례

PART **1**
# 관계의 기술

## 01  위로, 관계의 강화

인상의 법칙 | 위로의 타이밍 | 관계는 희생을 먹고 꽃핀다 | 황제적 발상의 인간관계
| 곳간에서 인심이 나기에 | 예수님의 황금률 | 흐르는 강물처럼 | 위로의 사명을 감
당하라

## 02  진취적 태도, 사랑의 열매

포기하지 않는 간절함 | 진취적인 사람은 해석도 다르다 | 공동체의 발목을 잡은 사람
| 진취적인 사람과 쉽게 뒤로 물러서는 사람 | 일과 일하는 사람 | 청교도는 좋지만 청
교도를 좋아하는 사람은 싫은 이유 | 낙관적 태도의 유익 | 열정과 애정의 열매, 진취와
창조 | 진취적인 사람이 되라

PART **2**
사랑받는 삶의 비밀

## 하나님 사랑에 복속된 덕

성경은 우리에게 하나님을 어떻게 믿고 섬겨야 하는지만을 가르쳐 주지 않습니다. 우리는 성경을 통해 어떻게 인생을 슬기롭게 살아갈 수 있는지 배웁니다.

그러나 성경이 가르쳐 주는 인생을 살아가는 지혜는 우리가 흔히 접할 수 있는 일반적인 처세술과는 다릅니다. 성경이 말하는 참 덕은 하나님을 향한 사랑에 복속된 것이기 때문입니다.

따라서 하나님을 잘 믿고 사랑하는 일은 등한시한 채, 인생을 어떻게 슬기롭게 살아야 할 것인가만 연구해서는 성경이 알려주는 덕스러운 삶에 다가갈 수 없습니다.

지금부터 우리는 세상을 살아가며 가져야 할 올바른 삶의 태도들은 무엇인지, 어떻게 살아야 하나님뿐 아니라 사람에게도 사랑을 받으며 살 수 있는지 살펴볼 것입니다.

사실 어떤 부분은 생각의 전환만으로도 충분히 실천할 수 있는 것이기도 합니다. 그러나 어떤 부분은 뼈를 깎는 아픔이 동반되어야 개선될 수 있습니다.

그런데 삶의 태도에 대한 저의 권고들은 억지로 그러한 삶을 흉내 내며 살아가게 하기 위한 것이 아닙니다. 좋은 태도는 타고나는 것도 아니지만, 열심을 내어 획득할 수 있는 것도 아닙니다.

　　그것은 하나님과의 화목한 관계에서 흘러나오는 덕입니다. 하나님과의 화목으로 인한 평정한 마음의 상태가 밖으로까지 흘러나와야, 사람과도 진정한 화목을 이룰 수 있음을 기억하십시오.

보다 덕스러운 인생을 꿈꾸는 그대에게

물다짐 공법이라고 들어보셨습니까?

건설 현장에서 지반을 단단하게 다질 때 쓰는 방법입니다. 장비를 사용할 수 없는 좁은 공간이나 주변 건축물에 충격을 주지 않아야 할 때 사용되는데, 시공 방법은 매우 간단합니다. 물을 뿌려 흙을 충분히 적셨다가 말리기를 반복하는 것입니다. 그러면 흙 사이의 틈새가 물로 메워지면서 자연스럽게 땅이 굳어집니다.

그런데 이것은 땅이 평지이고, 흙도 배수가 좋은 토질일 때의 이야기입니다. 비탈지지 않고 배수도 양호한 땅이어야 물다짐이 가능하지, 그렇지 않으면 물을 붓는 것이 땅을 더욱 엉망으로 만들고 맙니다. 비탈진 땅이면 골이 깊이 생기고, 토질이 나쁘면 진창만 만들어지고 마는 것입니다.

인간관계도 마찬가지입니다. 평평하고 배수도 좋은 땅과 같은 인성을 가진 사람에게는 관계의 트러블이나 위기가 오히려 보다 깊은 관계로 나아가는 계기로 작용합니다. 연단을 통해 인간관계도 끈끈하고 탄탄해지는 것입니다. 그러나 그의 기본적인 인성이 진흙더미나 산비탈 같다면, 그가 겪은 산전수전은 도리어 그를 가까이하기 겁날 정도의 괴팍한 존재로 만들고 말 것입니다.

애매히 고난당하는 인생이 없는 것은 아니지만, 많은 경우 우리는 우리의 잘못된 삶의 태도 때문에 고통당하고 어려움에 봉착합니다. 이 책을 읽기 전에 먼저 여러분 자신을 돌아보십시오. 여러분은 어떤 사람입니까? 여러분의 삶의 태도는 어떠합니까? 모난 돌이 정 맞는다고, 여러분의 잘못된 삶의 태도가 고난과 시련을 불러왔던 것은 아니었습니까?

'개념 없다'는 신조어가 생길 정도로, 상식을 벗어난 태도의 사람들이 많은 시대입니다. '개념 없는 인생'은 자기 자신은 물론 주변 사람들에게도 비극입니다. 그가 달라지지 않는 한, 그의 인생은 날이 갈수록 더욱 심한 진창이 될 것이며, 주변 사람들도 그런 그의 곁에서 힘들어 할 것이기 때문입니다.

더 헝클어지기 전에, 더 외로워지기 전에, 삶의 태도를 고치는 사람이 지혜로운 사람입니다. 이 책을 통해 그러한 지혜를 얻게 되시기를 소망합니다.

# PART 1

# { 관계의 기술 }

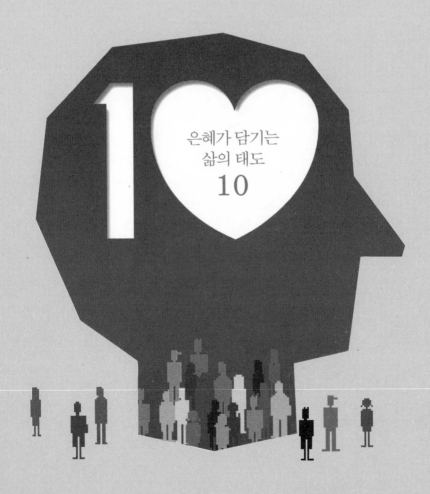

1 은혜가 담기는
삶의 태도
10

제1장

# 위로, 관계의 강화

"친구는 사랑이 끊어지지 아니하고
형제는 위급한 때를 위하여 났느니라"

잠 17:17

벌써 20년이 훌쩍 지난 일이지만, 아직도 어제 일처럼 생생한 기억이 있습니다. 그때만 해도 대학마다 격렬한 시위 운동이 많이 벌어지곤 했습니다. 당시 저는 총신대학교 근처에 살고 있었는데, 창문 틈을 박스 테이프로 도배를 해도 새어 들어오는 최루탄 가스를 막을 수가 없었습니다.

결국 아기였던 아들이 최루탄 가스를 견디지 못하고 기관지염에 걸려 입원하게 되었습니다. 히브리어 강사로 한 달에 15만 원을 받아 생활하던 때라 정말 앞이 막막했습니다. 일단 병원에 입원은 시켰는데, 입원비를 마련할 길이 없었습니다. 조그만 몸으로 기침을 해대는 아이의 모습을 보고 있노라면, 미안함과 서글픔으로 서 있기조차 힘들었습니다.

그 날도 수업을 마치고 나서는데, 함께 공부하던 전도사 한 사람이 왜 이렇게 표정이 어두운지 물었습니다. 그래서 아들이 입원하여 병원에 가는 길이라고 설명했더니, 진심으로 걱정을 해주며 함께 가겠다고 했습니다.

가난한 전도사에게 무슨 돈이 있겠습니까? 병원비를 보태 준 것도 그렇다고 특별한 위로의 말을 한 것도 아닙니다. 그냥 저와 함께 병원까지 동행해 주며, 한숨 쉬는 제 어깨를 두드려 주었을 뿐입니다. 제 아들의 작은 손을 붙들고 간절히 기도해 주었을 뿐입니다.

그러나 그 날 저는 그에게서 너무나 큰 위로를 받았습니다. 세월이 많이 지났지만, 저는 아직도 그때의 고마운 마음을 잊을 수가 없습니다.

다행히 지금은 그 사람도 저도 잘 지내고 있지만, 만약 그에게 힘든 일이 생겨 제 도움이 필요하게 된다면 팔을 걷어붙이고 도울 것입니다. 제가 너무나 힘들었던 그 순간에, 그가 저와 함께 있어 주었기 때문입니다.

인생이란 이런 것입니다. 살다 보면 도움을 줄 때도 있고, 받을 때도 있습니다. 위로가 필요할 때도 있고, 위로할 필요가 있을 때도 있습니다. 그래서 테레사 수녀는 이런 말을 했습니다. "가장 큰 질병은 결핵이나 문둥병이 아닙니다. 아무도 돌아보지 않고 아무도 위로하지 않고 아무도 사랑하지 않고 아무도 필요로 하지 않는 것, 이것이 가장 무서운 병입니다. 세상에는 빵이 없어서 죽어가는 사람도 많지만 작은 사랑이 없어서 죽어가는 사람이 더 많습니다."

위로를 필요로 하는 사람에게 적절한 위로를 베풀고 있습니까? "찬송하리로다 그는 우리 주 예수 그리스도의 하나님이시요 자비의 아버지시요 모든 위로의 하나님이시며 우리의 모든 환난 중에서 우리를 위로하사 우리로 하여금 하나님께 받는 위로로써 모든 환난 중에 있는 자들을 능히 위로하게 하시는 이시로다"(고후 1:3-4).

위로는 하나님의 자녀 된 우리의 의무이자, 사람 사이의 관계를 돈독하게 하는 최고의 비책입니다. *comfort*

### 인상의 법칙

우리는 살아가며 수많은 사람들을 만나고, 그들에게 우리 의지와 상관없이 어떠한 인상을 남기게 됩니다. 그런데 이렇게 각인된 인상은 그 사람에게 우리의 말과 행동을 해석하는 틀로서 작용하는데, 문제는 한번 생긴 인상은 여간해서는 바꾸기가 쉽지 않다는 데 있습니다. 좋은 인상을 심어 주었다면 다행이지만, 나쁜 인상을 심어 주었다면 이후로 무엇을 하건 그 사람에게는 좋지 않게 비치는 것입니다.

그러므로 인간관계의 지혜란 특별한 것이 아닙니다. 사람들에게 좋은 인상을 심어 주었다면 그것을 잃어버리지 않고 지속적으로 더 좋은 인상을 남겨 가는 것, 혹시 나쁜 인상을 남겼어도 그 관계를 포기하지 않고 노력하여 좋은 인상으로 뒤집는 것이 인간관계의 지혜입니다.

물론 한번 박힌 미운털을 뽑아 내기가 쉽지는 않습니다. 무엇을 해도, 이미 그것을 해석하는 기재가 부정적으로 형성이 되었기에, 나쁜 쪽으로만 비칩니다. 그래서 관계를 개선해 보려고 노력을 하다가도 지쳐 나가떨어집니다.

그러나 그렇다고 포기할 필요는 없습니다. 이따금씩 나쁜 인상을 뒤집을 수 있는 절호의 기회가 생기기도 하기 때문입니다.

바로 커다란 어려움을 만나서 위로와 도움을 절실히 필요로 하는 상실의 때입니다. 사람들은 모든 것이 넉넉하고 일이 순적하게 풀려 갈 때는 다른 사람이 베푸는 호의에 둔감합니다. 무엇인가 도움을 받아도 기억에 잘 남지 않거니와, 크게 고마운 마음이 일지도 않습니다.

그러나 고통 가운데 있을 때는 다릅니다. 간단한 위로의 한 마디, 소소한 도움 한 가지가 크게 다가옵니다. 거기에서 실제로 큰 힘을 얻기 때문입니다.

그래서 슬기로운 사람들은 결코 이러한 절호의 기회를 놓치지 않습니다. 좋은 일에 인사는 빠져도, 나쁜 일을 당한 사람을 찾아가는 일은 빠뜨리지 않는 것입니다.

아프고 힘들 때, 돌아보아 준 사람은 잊을 수 없는 것이 사람의 심리입니다. 그러므로 누군가에게 나쁜 인상을 심어 주었다면, 진심으로 그것을 개선하고 좋은 관계로 진전되기를 원한다면, 그 사람이 어려움에 처했을 때 모른 채 하지 말아야 합니다.

'가뜩이나 나를 불편하게 생각하는데, 지금처럼 상황이 좋지 않을 때 찾아가면 오히려 거북해 할지도 몰라.' 라고 생각하고 피해 버린다면, 영영 관계의 개선은 없습니다.

그 사람이 좋지 않은 상황에 봉착한 이 순간이야말로, '내가 비록 당신에게 나쁜 인상을 남겼지만, 나는 여전히 당신과의 관계를 포기할 수 없습니다. 나는 당신을 좋아하고 당신과의 관계를 소중하게 생각합니다. 당신과 더 좋은 관계를 맺기 원합니다.' 라는 메시지를 전할 수 있는 가장 효과적인 때이기 때문입니다.

긴 말도 필요 없습니다. 그저 그의 마음에 공감해 주고, 여력이 되는 한 최선을 다해 그가 필요로 하는 도움을 제공해 주면 됩니다. 말보다 묵묵히 행동하는 모습이 보다 많은 메시지를 보다 확실하게 전달합니다.


## 위로의 타이밍

위로는 그 사람을 향한 관심과 애정을 효과적으로 전달할 수 있는 통로이자, 관계를 강화할 수 있는 기회입니다. 그런데 위로가 그 역할을 제대로 해내기 위해서는 기본적으로 그 안에 진심이 담겨 있어야 합니다. 진심 어린 사랑과 이해에서 우러나오는 위로여야 그 사람의 마음에 감동으로 전해질 수 있기 때문입니다.

그런데 위로에는 진심 못지않게 중요한 요소가 하나 더 있습니다. 바로 시기 적절함입니다. 꼭 필요한 순간에 한 번 위로하는 것이 그렇지 않을 때 열 번 위로하는 것보다 유익합니다.

벌써 20년도 넘은 옛날 이야기입니다. 당시 저는 신학교의 교수로 재직하고 있었습니다. 그때 일 년에 두 번씩 교수 수련회를 갔는데, 대개

1박 2일의 일정이었습니다. 그 날도 수련회 장소에 도착하여 한 학기 동안의 일들을 돌아보고, 날이 저물어 어느 식당에 들어갔습니다.

그런데 종업원으로 보이는 아주머니가 물컵과 메뉴판을 들고 오는데, 무슨 안 좋은 일이 있는지 인상이 매우 어두웠습니다. 그러더니 물컵도 소리 나게 '탁' 내려놓고, 메뉴판도 던지듯 놓고 가는 것이 아닙니까?

함께 갔던 신학과 교수님 중에 사람을 참 잘 다루는 분이 계셨는데, 그 분이 다시 그 아주머니를 불렀습니다. 그랬더니 그 아주머니는 마지못 해 오는 듯 천천히 다시 와서, 짜증이 담긴 목소리로 "예에." 대답했습 니다. "아주머니, 일하려면 힘드시죠? 바쁜 시간이 아닐 때는 좀 쉬셔야 하는데, 이렇게 우르르 몰려와 죄송합니다." 그러면서 그 교수님은 오천 원짜리 하나를 건네셨습니다.

그러자 놀랍게도 그 아주머니의 얼굴이 갑자기 복사꽃처럼 환해졌습 니다. 지방의 도로변에서 흔히 볼 수 있는 그저 평범한 식당이었는데, 그 렇게 반찬이 떨어지기 무섭게 다시 나오는 곳은 처음이었습니다.

몇 마디의 다정한 말과 지폐 한 장의 위력을 실감하며 저녁을 먹고 있 는데, 주방 쪽에서 다투는 소리가 들렸습니다. 자세히 들어보니 손님이 왔으면 반찬을 내놓아야지 뭘 아끼고 안 주냐고 그 아주머니가 주방장 에게 따지는 소리였습니다.

그런데 다른 경우도 있습니다. 가족과 식사를 하러 돼지갈비를 먹으 러 갔는데, 음식을 나르는 아주머니의 표정이 여간 심란한 것이 아니었 습니다. 고기를 잘라 주는데, 가위질하는 모습이 어찌나 불안한지 금방이라도 손을 다칠 것만 같았습니다.

'얼마나 사는 게 팍팍했으면, 이렇게 서툰 솜씨로 갈비집에 나와 일을 할까.' 싶어 약간의 팁을 주었습니다. 그런데 무표정하게 '툭' 하고 받더니 계산대로 덜렁덜렁 걸어가 돈 통을 열어 집어넣는 것이 아닙니까? 그래서 "아주머니가 이 집 주인이세요?" 물었더니, "네." 하는 것입니다. 순간 '내가 왜 그랬을까?' 후회가 밀려왔습니다. 제법 규모가 있는 갈비집이었으니, 당시 가난한 교수였던 저보다 분명 형편이 나았을 것입니다.

똑같이 팁을 받아도, 이렇게 사람마다 다른 반응이 나오는 이유는 무엇일까요? 한 사람은 그런 도움과 친절이 꼭 필요한 사람이었고, 다른 한 사람은 그런 필요를 전혀 느끼지 않던 사람이었기 때문입니다.


### 관계는 희생을 먹고 꽃핀다

그래서 위로도 타이밍을 맞추어야 합니다. 상대방이 위로를 필요로 하는 순간을 놓치지 말아야 하는 것입니다. 그런데 위로의 타이밍을 맞추는 일은 우리에게 희생을 요구합니다.

사실 인간관계에 능숙한 사람은 모든 관계는 항상 자기 희생을 필요로 한다는 것을 압니다. 그러나 인간관계에 서툰 사람은 다른 사람을 위해 자기를 희생하는 것은 극도로 꺼리고, 다른 사람을 자기를 위해 활용하는 데에만 골몰합니다. 항상 사람을 이용하려고만 하지, 그 사람에게 자신의 의무를 다하려고 하지 않는 것입니다.

한번 생각해 보십시오. 당신이 늦은 밤, 피곤에 찌든 몸을 이끌고 퇴근해서 집에 왔는데, 아내가 말합니다. "아까 연락을 받았는데, ○○아버님이 돌아가셨대요. 내일 아침이 발인이라는데, 가 봐야 하지 않겠어요?" 시계를 보니 밤 11시가 넘었습니다. 바로 옷을 갈아입고 나가도, 상가에 도착하면 12시가 넘고, 조문을 마치고 돌아오면 새벽 2시는 되어야 귀가할 것이 뻔합니다. '내일 새벽같이 회사에 나가야 하는데…….회사에 두고 온 일이 산더미 같은데…….'

갈등을 느끼지 않겠습니까? 상가에 가지 않고 그냥 누워서 잠들면 당신은 확실히 편할 것입니다. 그러나 계속 그런 식으로 살아간다면, 당신의 인생길에는 친구가 없을 것입니다.

시간이 지나면 지날수록 주위에 사람들이 사라질 것이며, 힘들어도 기댈 곳이 없어질 것입니다. 자기를 위하는 삶은 결국 자기 고립만을 초래하고 마는 것입니다.

신학교에서 학생들을 가르칠 때, 친분을 쌓은 교수님이 한 분 계십니다. 지금은 학장이 되셨는데, 예전부터 그 분은 입버릇처럼 "문상은 절대로 거르지 않는 것이 제 삶의 원칙입니다."라고 말씀하시곤 했습니다. 공사다망하신 분이었는데, 그렇게 바쁘신 분이 학교의 말단 직원에서부터 먼 친구에 이르기까지 상을 당하면 빠짐없이 나타나셨습니다.

언젠가 사석에서 그 분은 이런 이야기를 털어 놓으셨습니다. 대학생 시절, 같은 과 친구 아버지가 돌아가셨다고 합니다. 그리 가까운 친구도 아니었거니와, 마침 집에 바쁜 일이 있어 문상을 가지 못했습니다.

그런데 며칠 후 담당 교수님이 부르셔서 갔더니, 그 날 일을 물어보시더랍니다. 그래서 연락은 받았으나 집안에 바쁜 일이 있어 못 갔다 말씀 드렸더니, 호되게 꾸중을 하셨다고 합니다. "사람이 죽은 것보다 더 큰 일이 도대체 무슨 일인가? 사랑하는 친구의 아버지가 돌아가셨는데, 그보다 중요한 무슨 일이 있는가? 사람으로 태어났으면 사람의 도리를 해야지, 그것을 모르는 인간은 쓰레기다."

그때 이후로 이 교수님은 상을 당한 사람을 보면, 자기 입장보다 그 사람 입장을 먼저 고려한다고 합니다.

자기 입장에서 생각하면 친구 아버지 돌아가신 것이 뭐 그리 심각한 일이겠습니까? 살아계셔도 평생 몇 번 마주칠 일 없는 사이입니다. 자기 입장에서만 생각하면, 몇 시간 잠을 덜 자는 것이 훨씬 더 큰 문제일 것입니다.

그러나 그 친구의 입장으로 돌아가서 생각하면, 이것은 너무나 가슴 아픈 일입니다. 잠을 못 자더라도, 피곤을 이기고 밤새 운전을 해야 하더라도, 찢어지고 미어질 그 친구의 마음을 생각하면 집에 가만히 앉아 있을 수가 없는 것입니다.

위로를 해야 할 때 위로하지 못하면, 호감을 얻을 기회를 놓칠 뿐 아니라 서운함을 남기게 됩니다. 사람은 힘들 때 옆에 있어 준 사람도 잊지 못하지만, 힘들 때 외면한 사람은 더욱 잊지 못하기 때문입니다.

입장을 바꾸어 생각해 보십시오. 평소에 여러분을 우호적으로 대해

주던 사람인데, 여러분이 큰 슬픔을 당했을 때 나타나지 않았습니다. 그러면 '그 동안 나에게 보여준 우호적인 태도가 진심이 아니었을 수도 있다.' 라는 생각이 들지 않겠습니까?

## 황제적 발상의 인간관계

상대방에게 자신은 전혀 헌신하지 않고, 필요한 때에 상대방이 자신을 도와주기를 기대하는 것은 황제적 발상입니다. 세상은 결코 여러분 한 사람을 중심으로 돌아가지 않습니다. 주고받는 세상의 원리를 무시하고, 자신은 무조건 누리기만 하겠다는 태도를 고수한다면 모든 관계로부터 내쳐지는 결과밖에 남는 것이 없습니다.

전도사 시절의 일입니다. 담임 목사님께 보고드릴 것이 있어 찾아갔더니, 마침 장로님이 담임 목사님과 다음 날 심방가는 것에 대해 의논하고 계셨습니다. 교통사고를 당해 입원한 성도를 심방하는 계획이었습니다.

그런데 심방 대상자는 그 교회 교인이 아니라 오래 전 그 교회를 다니다가 다른 교회로 옮긴 성도였습니다. 그 사람으로 말미암아 목사님은 적잖은 마음의 고통을 당하셨습니다. 여러 가지 교회의 현안에 대해 목사님의 생각과 의견을 달리하며, 반대 의견을 따르는 사람들과 함께 목사님을 많이 힘들게 하였던 것입니다.

그래서 제가 목사님께 여쭈었습니다. "이미 교회를 떠난 사람이고 목사님 목회에 많은 고통을 준 사람이 아닙니까? 굳이 심방을 가실 필요가 있으십니까?" 담임 목사님은 빙그레 웃으면서 대답하셨습니다. "이런 게 목회입니다."

목사님은 더 이상 말씀하지 않으셨지만, 옆에 계시던 장로님이 설명을 하셨습니다. "별로 사이가 좋지 않았던 사람이 사고를 당했으니, 더 가 봐야 하지 않겠습니까? 어차피 목사의 마음을 다 알아주는 성도는 없으니 내리사랑이라도 해야 되지 않겠습니까?" 그때 저는 아직 목회의 경험이 부족한 중에도 많은 것을 깨달았습니다.

누구든지 자기를 좋아하고 자신이 좋아하는 사람들과 함께 대화하고 어울리며 살아가는 것은 힘든 일이 아닙니다. 그러나 우리의 인생은 때때로 쉬운 일 마다하고 힘든 일을 하지 않으면 안 되는 때가 있습니다.

인간관계는 메아리와 같습니다. 아무 말 없어도 내 마음의 미운 감정은 그 사람의 마음에 울려 퍼지고, 주는 것 없어도 그 사람을 향한 인정과 사랑의 감정은 특별한 눈빛이 되어 그 사람의 마음을 연주합니다. 만약 갈등이 있거나 혹은 지난 일로 서로 마음이 소원해진 사람이 있다면 그 사람이 어려움에 처했을 때가 관계를 회복할 기회입니다. 끊어진 인간관계를 다시 시작하고, 이전에 가지고 있던 오해와 원망을 털어 버릴 수 있는 호기인 것입니다.

그러나 대부분의 사람들이 이런 기회를 잘 활용하지 못합니다. 왜냐하면 그 사람이 어려움을 당했을 때, 이런 식으로 생각하기보다는 오히려 이전에 그 사람으로부터 받았던 섭섭함이나 상처같은 것들을 떠올리기 때문입니다.

그러나 그것은 하나님이 우리에게 가르쳐 주신 삶의 방식이 아닙니다. 하나님은 우리에게 다른 사람을 이해하고 사랑하는 동기를 사람에게서 찾지 말고, 우리를 용서하시고 사랑하신 그리스도에게서 찾으라고 가르쳐 주셨습니다. "그리스도께서 너희를 사랑하신 것같이 너희도 사랑 가운데서 행하라 그는 우리를 위하여 자신을 버리사 향기로운 제물과 희생 제물로 하나님께 드리셨느니라"(엡 5:2-3).

결국 세월이 좀 흐른 후, 교회에 아픔을 주고 떠났던 그 성도는 다시 그 교회로 돌아와 좋은 일꾼이 되었습니다. → positive result!

누군가 흘려 보내는 사람이 있어야지만 교통이 이루어집니다. 관계는 오늘은 흘려 보내고, 내일은 받아들이며 이루어지는 것입니다.

우리는 종종 인덕이 많은 사람들을 만납니다. 가는 곳마다 좋은 사람이 나타나고, 문제가 생길 때마다 돕는 사람을 만납니다. 그런데 그것이 정말 하늘에서 뚝 떨어진 복일까요? 결코 그렇지 않습니다. 그것은 하나님의 축복과 함께 그 사람의 인생의 태도가 어우러져 만들어 낸 아름다운 결과입니다.

→ Empirial relation is not the resultant of the combination of God's blessing and human's attitude

### 곳간에서 인심이 나기에

그런데 뭔가 흘려 보내려면, 일단 무엇인가 가진 것이 있어야 하지 않겠습니까? 우리말 속담에 곳간에서 인심난다는 말이 있습니다. 자신의 형편에 여유가 있어야, 남도 돌아볼 수 있다는 의미입니다. 사람의 마음도 예외가 아닙니다. 일단 자신의 마음이 안정되어 있어야, 남의 내면도 살필 수 있는 것입니다.

그러므로 위로는 값없이 예수 그리스도를 선물로 받아 내적 풍성함을 누리며 살아가는 존재인 우리의 의무이자 사명입니다. "친구는 사랑이 끊어지지 아니하고 형제는 위급한 때를 위하여 났느니라"(잠 17:17)는 본문의 말씀대로, 사랑을 필요로 하는 사람에게는 끝없이 사랑을 베푸는 친구가, 위기에 봉착한 사람에게는 위로와 도움이 되는 형제가 되어 주어야 하는 것입니다.

하나님의 사랑이 여러분 안에 있습니까? 그것을 여러분 안에 머물러 있게 하지 말고, 삶을 통해 흘려 보내십시오. 하나님의 사랑이 우리의 삶을 통해 드러나, 우리가 살아 있는 것 때문에 다른 사람들이 실제로 혜택을 누릴 수 있어야 합니다.

요셉을 보십시오. 그는 부유한 가정의 사랑받는 아들이었으나, 한 순간에 노예로 팔려 낯선 땅에 끌려갔습니다. 그런데 더욱 슬픈 것은 그를 그런 비참한 형편에 빠뜨린 사람이 바로 형들이었다는 사실입니다. 억울하고 외로웠지만, 요셉은 좌절하는 대신 주어진 자리에서 최선을 다하며 살았습니다. 하나님의 섭리와 경륜을 바라보는 신앙도 잃지 않았습니다. 그러나 그런 그에게 돌아온 것은 모함과 배신이었고, 그는 결국 감옥에 갇히고 맙니다.

그런데 그러한 요셉의 생애를 서술하고 있는 말씀 안에서 우리는 뜻

밖의 구절과 마주하게 됩니다. "그가 요셉에게 자기의 집과 그의 모든 소유물을 주관하게 한 때부터 여호와께서 요셉을 위하여 그 애굽 사람의 집에 복을 내리시므로 여호와의 복이 그의 집과 밭에 있는 모든 소유에 미친지라"(창 39:5). 요셉 때문에 보디발의 집이 놀라운 축복을 받는 장면입니다.

우리 역시 요셉과 같이 복의 근원이 되는 사람이 되어야 합니다. 여러분이 있기 때문에 여러분의 회사가 잘되고, 여러분의 친구가 혜택을 누려야 합니다. 잠시라도 없으면 생각나고 그리워지는 존재로 주위 사람에게 각인되어야 하는 것입니다.

존재 자체로 주위 사람들에게 위로가 되어 주십시오. 따뜻한 말이나 행동을 해서가 아니라, 그저 옆에 있어 주는 것 자체로 커다란 위로를 주는 사람이 되십시오. 그것이 하나님의 큰 사랑을 가슴에 품은 우리가 마땅히 감당해야 할 역할이며, 오직 우리만이 할 수 있는 사명입니다.

### 예수님의 황금률

그런데 안타깝게도 오늘날 너무나 많은 그리스도인들이 위로의 사명을 저버린 채 살아가고 있습니다. 부모나 선생님으로부터 삶의 태도에 대해 제대로 된 가르침을 받아 보지 않았기에, 개념 없이 살아가고 있는 것입니다.

위로는 상황이 여의치 않으면 그냥 넘어가도 되는 인사치레가 아닙니다. 위로는 하면 좋은 것이 아니라, 반드시 해야 하는 것입니다. 예수님이 우리에게 주신 황금률이 무엇입니까? "남에게 대접을 받고자 하는 대로 너희도 남을 대접하라" (눅 6:31).

『탈무드』에 보면 이런 이야기가 나옵니다. 한 사람이 유명한 랍비를 찾아가 이렇게 말했습니다. "내가 한 발로 서 있는 동안에 나에게 율법의 모든 것을 가르쳐 주십시오." 그러자 그 랍비는 "당신이 싫어하는 것은 당신의 이웃에게도 하지 마십시오. 이것이 율법의 전체이고 다른 것은 율법의 해석에 불과합니다." 라고 대답하였다고 합니다.

그렇습니다. 타인에게 고통을 주는 행동을 하지 말라는 것이 율법의 가르침이라면, 예수님의 가르침은 다른 사람을 위해 무엇인가 해주라는 적극적인 명령입니다. 예수님의 새 율법은 사랑이고, 사랑이란 적극적으로 행동할 수밖에 없는 것이지 않습니까?

여러분이 받고 싶은 대로, 남에게 베푸십시오. 슬프고 어려운 일을 당했을 때, 혼자이고 싶습니까? 여러분이 누군가의 사랑 어린 위로에 기대고 싶듯, 여러분의 친구와 이웃도 여러분의 품에 기대 울고 싶을 것입니다. 그들에게 기꺼이 품을 내어 주는 사람이 되십시오. 이것이 인간관계의 지혜이며, 사람의 도리입니다.

여러분으로 인해 혜택을 입고 기뻐하는 모습을 보는 것만큼 큰 기쁨도 없습니다. 사람의 인생 사는 재미란 특별한 곳에 있는 것이 아닙니다. 나누고 베풀며, 인생의 다양한 자원들을 주거니 받거니 하며 살아가는 것이 인생 사는 맛입니다.

우리 교회에서는 신학교를 돕는 일에 마음을 많이 쓰고 있습니다. 왜냐하면 거기서 자라나는 학생들은 미래의 한국 교회를 이끌어 갈 일꾼들이기 때문입니다.

좀 더 좋은 환경에서, 진리의 말씀으로, 좋은 학문으로 충분히 훈련받고 신앙적으로 연단된다면 미래의 한국 교회는 지금보다 훨씬 아름다운 교회가 될 것입니다. 국내의 학교뿐 아니라 해외의 신학교까지 방문하여 책을 나누어 주고 식사를 대접하고 얼마간이라도 장학금을 지급하여 그들이 외롭게 신학의 도상에 서 있는 것이 아니라 미래의 조국 교회를 사랑하는 많은 성도들과 함께 그 길을 가고 있다는 것을 알게 하기 위함입니다.

어느 신학교에 장학금을 기탁하는 날이었습니다. 우리의 형편으로는 적지 않은 장학금을 기탁하였는데 그 자리에 그 신학교를 책임지고 있는 목사님과 교수님들, 그리고 학생회 간부들이 함께 자리를 하였습니다.

그때 예고도 없이 학생회 임원 중 한 형제가 불쑥 이렇게 말했습니다. "열린교회에서 주시는 장학금 말입니다. 우리 학우 중 두 사람이 병원에 입원할 처지인데, 거기에 쓰면 안 되겠습니까?" 순간 그 자리에 모인 학교 관계자들 모두에게서 당혹스러워하는 빛이 역력히 나타났습니다. 어떤 분은 "장학금은 장학금이지, 그것을 왜 병원비로 쓰는가?" 하면서 면박까지 주었습니다.

앞뒤 없이 불쑥 나온 말이라 당황스럽긴 했지만, 저는 그 형제에게서 무엇인가 절박한 사정을 느낄 수 있었습니다. 그래서 좀 더 상세히 이야기 해달라고 말했습니다.

사연은 이러했습니다. 신학교에 재학중인 학우 2명이 암에 걸렸는데 수술비를 마련할 대책이 없다는 것이었습니다. 한 학생은 내국인이고 한 학생은 외국인 학생이었습니다. 그런데 공교롭게 이 신학생들은 특별히 소속된 교회도 없고 지원하는 단체도 없는 가난한 학생들이었습니다. 두 사람 다 수술이 필요한데, 돈이 없어서 학생들이 모금을 했지만 일인당 1,500만 원 가까이 되는 수술비에는 미치지 못했습니다.

그런 설명을 하며, 그 학생회 임원은 제게 이렇게 말했습니다. "선배 목사님, 이 두 학생을 도와주시는 것이 장학금을 주시는 것보다 더 급합니다." 그래서 잠시 생각을 한 후 제가 이렇게 제안하였습니다. "장학금은 그대로 장학금으로 사용하고, 두 사람이 치료를 받는 문제는 나와 우리 교회가 책임을 질테니 함께 의논하여 두 학생들을 도웁시다."

나중에 전해 들은 이야기인데, 그 학생회 임원이 이러한 사실을 그 다음 채플 시간에 학생들에게 알렸을 때 채플실을 가득 채울 정도로 큰 박수와 환호성이 터져 나왔다고 합니다. 치료비와는 비교되지 않는 더 큰 액수의 장학금을 학교에 기탁하였을 때는 그 정도로 기뻐하지 않았는데, 당장 암에 걸려 죽게 된 학우를 기꺼이 책임지고 돕겠다고 하자 학생들 전체가 울컥하는 감동을 받은 것입니다.

왜 그랬을까요? 그것은 우리의 도움이 꼭 필요한 시기에 주어졌기 때문입니다. 꼭 필요할 때 베푸는 도움은 커다란 위로이며 희망입니다.

## 흐르는 강물처럼

사랑하는 여러분! 누군가에게 진한 위로, 소중한 희망이 되어 준 적이 있습니까? 본문은 말합니다. "형제는 위급한 때를 위하여 났느니라"(잠 17:17). 우리는 이 세상을 살아가며 믿는 사람들은 물론 믿지 않는 사람들까지 혈육처럼 생각하며 사랑해야 합니다. 이것이 바로 선교의 원리입니다.

사람의 몸을 입고 오신 예수님을 보십시오. 그분은 결코 믿을 사람과 믿지 않을 사람을 갈라서 대우하지 않으셨습니다. 예수님은 모든 사람을 불쌍히 여기시고 사랑과 자비를 베풀어 주셨습니다. 이것이 예수님의 삶의 모본입니다. 예수님의 삶은 자기를 녹여서 끊임없이 세상으로 흘려 보낸 삶인 것입니다. 그런 사랑의 감화를 받았기에 우리가 십자가를 붙들고 따라가는 것이 아닙니까?

누군가를 위로하는 것, 특히 관계가 좋지 못한 사람을 일부러 찾아가 위로하는 것은 쉽지 않습니다. 내 안의 많은 것을 내려놓아야 하고, 나 자신을 희생해서 흘려 보내야 하기 때문입니다. 그러나 쉽지 않기에 그것은 받는 사람을 감동시킵니다.

여러분에게 좋은 인상을 남기지 못했거나 관계가 원만하지 않은 사람이 고통을 겪고 있을 때, 그 자리에 가지 않는다면 그것으로 그와의 관계는 마침표를 찍게 됩니다. 이것은 '이제 그만 우리의 관계를 정리합시다. 당신은 내게 별다른 의미가 없는 존재입니다.' 라는 절교 선언과

관계가 원만하지 못하는 사람을
위로하지 않는것.

같은 의미이기 때문입니다.

이런 행동을 반복하면서 인생이 형통하고, 인덕이 많기를 바라는 것은 어불성설입니다. 그렇게 살아가는 사람에게 남는 것은 어려운 상황에 처해도 아무도 위로해 주지 않는 비참함뿐입니다.

누군가에게 잊을 수 없는 사람이 되고 싶습니까? 아낌없이 베풀고 나누며, 여러분 자신을 흘려 보내십시오. 흐르는 강물처럼 끊임없이 내어주며 살아가는 것이, 끊임없이 사랑받으며 살아가는 비결입니다.

언젠가 한경직 목사님을 회상하는 어느 권사님의 간증을 듣고 큰 감동을 받았습니다. 한경직 목사님뿐 아니라 그 시대에 평양 숭실학교에서 교육을 받은 사람들은 모두 검소한 생활 태도와 나눔의 정신으로 무장되어 있었습니다. 한경직 목사님 역시 매우 검소하셨는데, 한 겨울에도 얇은 양복 한 벌만 걸치고 다니시는 모습이 너무 을씨년스러워, 그 권사님이 따뜻한 외투를 사 드렸다고 합니다.

목사님이 정말 따뜻하다면서 좋아하시며 입고 다니셨는데, 며칠 지나고 보니 교회 앞의 거지가 그 옷을 입고 있더라는 것입니다. 그 권사님도 없는 돈을 아끼고 아껴서 산 옷인데, 거지가 입고 있는 것을 보니 기가 막히시더랍니다. 그런데 이상하게도 전혀 화가 나지 않았다고 합니다.

목사님을 알기에, 그 마음이 짐작이 된 것입니다. 지나가다 보니 너무 불쌍해서, 미처 권사님의 성의는 생각도 못하고, 그저 안된 마음에 입고 있던 옷을 벗어 준 것임을 안 봐도 알 수 있었기 때문이었습니다.

## 위로의 사명을 감당하라

여러분은 어떤 사람입니까? 여러분에게 도움을 줄 수 있는 사람, 지위가 높은 사람 앞에서만 꼬리치는 사람은 아닙니까?

비록 여러분에게 어떠한 도움의 메아리도 돌려 줄 수 없는 사람이라 할지라도 베풀 수 있을 때 베풀며 살아가십시오. 그저 그렇게 돕고 세우면서 나의 존재의 가치와 목적을 실현하며, 나로 말미암아 저 사람이 좀 더 윤택해졌다는 사실 때문에 기뻐할 수 있는 아량을 가지십시오. 그런 마음으로 살아가는 사람이라야 누군가에게 진정한 위로가 될 수 있습니다.

빌리 그레이엄(Billy Graham) 목사는 이런 말을 했습니다. "하나님은 단지 우리를 위로하시기 위해서 위로하시는 것이 아니라, 우리로 하여금 위로자가 되게 하시기 위해서 우리를 위로하신다."

그렇습니다. 우리의 신산한 삶에 하나님이 먼저 찾아와 위로가 되어 주셨기에, 우리는 어려운 사람을 그냥 지나칠 수 없습니다. 그가 누구이건, 나와 어떤 사연이 있건, 어려운 때를 만난 사람이라면 다가가 위로자가 되어 주어야 합니다. 어려운 사람, 가난한 사람, 병든 사람, 고독한 사람, 죽어 가는 사람에게 위로자가 되어 주라고, 하나님이 지금 우리를 이곳에 두셨기 때문입니다.

제2장

# 진취적 태도,
# 사랑의 열매

"수 일 후에 예수께서 다시 가버나움에 들어가시니 집에 계시다는
소문이 들린지라 많은 사람이 모여서 문 앞까지도 들어설 자리가 없게 되었는데
예수께서 그들에게 도를 말씀하시더니 사람들이 한 중풍병자를 네 사람에게
메워 가지고 예수께로 올새 무리들 때문에 예수께 데려갈 수 없으므로
그 계신 곳의 지붕을 뜯어 구멍을 내고 중풍병자가 누운 상을 달아 내리니"

막 2:1-4

몇 년 전의 일입니다. 다른 교회의 장로님들이 제가 시무하고 있는 열린교회에 탐방을 오셨습니다. 당시 교회 건축을 앞두고 있다고 해서, 우리 교회 구석구석을 보여드렸습니다.

그런데 얼마 지나지 않아서, 홈페이지에 장문의 글이 올라왔습니다. 익명으로 쓴 게시물이었는데, 교회 시설에 대한 악의적인 비난이었습니다. 글을 읽다 보니 그때 탐방 오셨던 장로님 중 한 분이라는 확신이 들었습니다. 글의 정황상 그 날 교회를 둘러보고 설명을 들으셨던 분이 쓰신 것이 명백했기 때문이었습니다.

처음에는 화가 치밀었습니다. 실제로 교회 시설에 문제가 있어 지적을 해주신 것이라면 감사했을 것입니다. 그러나 그 분의 비난은 그저 개인적인 취향의 문제였습니다. 보기에 따라 얼마든지 좋게 볼 수 있는 것들을 자기 마음에 안 든다는 이유로 강도 높게 비난하고 있었던 것입니다.

한 예로 교회 식당의 경우를 말할 수 있는데, 열린교회에는 대형 식당이 없습니다. 평일에 교직원들이 식사할 수 있도록, 20여 평 규모의 작은 식당을 주방 옆에 마련해 두었을 뿐입니다. 대신 교회 뒷마당에 천막을 설치했습니다.

그런데 문제는 교회 뒷마당에 천막이 상시 설치되어 있으면 건축법 위반이 된다는 것입니다. 그래서 고민한 결과, 아코디언 주름 식으로 천막이 접히도록 주문 제작을 했습니다.

스위치를 누르면 펴져서 300-400명 이상의 사람이 동시에 식사할 수 있는 식당이 되고, 접으면 너른 뒷마당을 다른 용도로 활용할 수 있도록 고안한 것입니다. 만약 이렇게 하지 않았다면, 식당을 만드느라 소모임 공간 및 각종 교육 시설, 성도들이 차를 마시며 쉴 수 있는 공간 등을 만들 수 없었을 것입니다.

그런데 그 게시물을 쓰신 분에게는 주일마다 천막을 펴고 접고, 식탁을 배치하고 정리하고 하는 일들이 번거롭다는 점만 부각되어 보였나 봅니다. 그래서 "매주 목사들이 와서 할 것도 아니면서, 봉사하는 평신도들 고생스럽게 왜 그렇게 만들어 놓았는가." 하며 비난했던 것입니다.

그 분은 교회 카페가 위치한 별관 1층을 모두 터서 크게 식당을 마련하는 것이 평신도를 위한 건축인양 글을 썼는데, 만약 그렇게 해놓았다면 주일 점심 한 끼를 위해 식당만 커다랗게 만들어 놓고 평일에는 제대로 활용하지 못한다는 비난을 들었을 것입니다.

글 속에서, 무엇이든 부정적인 면을 먼저 보며 불평을 늘어놓는 성향을 읽을 수 있었기에, 저는 그 분이 불쌍해졌습니다. 그런 분이 장로라고 생각하니, 그 교회 목사님과 성도들까지 다 불쌍했습니다. 매사를 부정적인 시각에서 바라보는 사람과 함께 교회를 이끌어 나가려면 얼마나 힘들겠습니까?

그래서 없는 시간을 쪼개 답글을 썼습니다. 최대한 예의 바르게 그 분이 보지 못한 면들을 설명했습니다.

물론 그 답글 하나로 그 분이 생각이 확 바뀌지는 않았을 것입니다. 그러나 그 분과 다른 시각으로 보는 견해도 있음을 알리고 싶었습니다. 실제로 똑같은 식당을 보고, 정말 효율적인 공간 배치라고 해석하는 사람들도 많기 때문입니다.

별관 1층에 식당을 만드는 대신, 발달장애아들을 위한 온돌식 교육 공간을 만들었는데 이 공간은 예배나 교육이 없는 때에는 연세 많으신 분들이 다리를 펴고 모임을 할 수 있는 장소로도 활용이 됩니다. 또한 '열린 공간' 이라는 카페가 있는데, 이곳 역시 평일에는 성도들의 교제의 장소로 활용되고, 주일에는 새가족들이 교회에 대한 소개를 받는 곳으로 사용되고 있습니다.

천막 식당이 불편한 것이 사실이지만, 그로 인해 유익한 부분도 있는 것입니다.

이 세상에는 '옳다' 또는 '그르다' 라고 일방적으로 판단내리기 힘든 경우가 수없이 많습니다. 어떻게 보는가에 따라 좋게 해석할 수도 있고, 나쁘게 평가할 수도 있는 상황이 많이 벌어지는 것입니다.

두 명의 여행가가 깊은 산속을 여행하는 길에 독수리가 다람쥐 한 마리를 번개처럼 낚아 채는 것을 봤습니다. 그것을 바라본 한 여행가가 혀를 차며 안타깝다는 듯이 말했습니다. "쯧쯧, 오늘 저 다람쥐 초상날이구만." 그러자 다른 여행가가 웃으면서 이렇게 대답했습니다. "그래도 독수리네 집은 잔칫날이 아닌가!"

여러분은 어떤 사람입니까? 같은 상황을 보면서 진취적이고 도전적인 생각을 하는 사람입니까? 아니면 늘 물러서고 위축되는 사람입니까?


### 포기하지 않는 간절함

본문은 예수님의 병 고치는 장면을 묘사하고 있습니다. 예수님이 병자를 고쳐 주신다는 소문이 나자, 구름떼처럼 사람들이 몰려들었습니다. 그들 중에는 병자도 있었고, 병자를 데리고 온 사람도 있었고, 구경하기 위해 온 사람도 있었습니다. 어쨌든 예수님이 기거하고 계신 집이 사람들로 꽉 찼습니다.

그때 중풍병자 한 사람도 예수님의 치료를 기대하고 그 집을 찾아왔는데, 사지를 마음대로 쓸 수 없기에 침상 채 들려 그곳까지 왔습니다. 예수님을 만나면 나을 수 있으리라는 가느다란 희망 하나를 붙들고 그

곳을 찾은 중풍병자와 그의 친구들은 인산인해를 이룬 광경을 보고 막막해졌을 것입니다.

그러나 그들은 포기하지 않고, 그 누구도 상상한 적 없는 희한한 발상으로 중풍병자를 예수님 앞으로 데려갑니다. 바로 지붕을 뜯고 환자를 침상 채 달아 내렸던 것입니다.

그 사람이 어떠한 사람인지는 그의 친구를 보면 알 수 있습니다. 한 사람의 됨됨이는 그의 벗의 됨됨이를 넘어서지 못합니다. 졸렬한 사람은 쩨쩨한 사람과 어울리기 좋아하고, 호방한 사람은 대범한 사람과 즐겨 사귀기 마련입니다.

지붕을 뜯고 예수님 앞에 환자를 내려 보낸 친구들의 성향을 보건대, 그 중풍병자 역시 진취적인 기상의 사람이었을 것입니다.

생각해 보십시오.

중풍병에 걸려 움직이지도 못하는데 지붕 위로 끌고 올라간다면 두렵지 않겠습니까? '지붕이 무너지면 어쩌나? 끈이 끊어지면 어쩌나?' 혼자 일어나 앉을 수도 없는 몸이기에, 걱정하려면 온갖 것이 다 걱정될 것입니다.

그러나 친구들은 지붕을 뜯었고, 중풍병자는 침상 채 예수님 앞에 달려 내려왔습니다. 나쁘게 생각하면 몹시 꾸중을 들을 수도 있는 상황입니다.

저마다 절박한 형편이 있을 텐데, 앞서 와서 기다린 다른 병자들을 재치고 새치기한 것 아닙니까? 남의 집 지붕을 허락도 없이 뜯었으니,

변상을 요구해야 하지 않겠습니까? 집안 가득 사람이 모여 운신조차 어려운 형편인데, 지붕이 무너지는 사고라도 났다면 어떻게 되었겠습니까? → blames.

하지만 예수님은 그들의 무례를 탓하는 대신 칭찬하셨습니다. 문제를 삼을 일이 한두 가지가 아닌데, 잘못을 묻는 대신 오히려 믿음 있다고 평가하신 것입니다. 그리고 그 친구들의 믿음 때문에 중풍병자를 고쳐 주십니다.

저는 이것이 예수 믿는 사람들이 빠지기 쉬운 오류를 교정해 주시기 위해 남기신 아름다운 본이라고 생각합니다. 성경을 보면 예수님이 웃으셨다는 이야기가 나오지 않습니다. 우셨다는 기록만 3번이나 나오기에, 자칫하면 예수님의 지상 생애가 슬픔과 우울함으로 가득 차 있었다고 생각할 수도 있을 것입니다.

그러나 예수님은 결코 비관적인 태도로 인생을 사신 분이 아닙니다. 예수님은 중풍병자의 친구들에게서 아픈 친구를 향한 깊은 애정과 진취적인 기상, 그리고 창의적인 열정을 보셨습니다. 그리고 '예수님이라면 반드시 내 친구를 고치실 수 있다.' 는 믿음을 읽어 내셨습니다.

예수님이 진취적인 태도를 가지고 계시지 않았다면 과연 이렇게 반응하셨을까요?

자기 깨어짐의 태도를 유지하며 끊임없이 하나님 앞에 통회하며 살아가는 삶을 비관적인 태도의 인생이라고 오해해서는 안 됩니다. 참된 기쁨은 진정한 슬픔이 무엇인지 아는 사람만이 경험합니다.

*진취적인 사람*

자신의 인생을 진심으로 소중하게 여기고, 자신이 속한 사회와 이웃을 마음을 다해 사랑하고, 이 세상에 하나님의 아름다운 나라가 반드시 이루어지리라는 희망을 품은 사람은 퇴영적인 태도로 살아갈 수 없습니다. 땅에 떨어진 하나님의 영광과 패역한 세대를 보며 많이 우는 것이 사실이지만, 그 눈물을 닦고 세상을 볼 때는 진취적이고 소망적인 태도를 가질 수밖에 없는 것입니다.

### 진취적인 사람은 해석도 다르다

이 세상은 끊임없이 목표를 향하여 앞으로 나아가려는 생각을 가진 사람들과 그렇지 않은 사람들이 한데 얽혀 굴러갑니다. 회사든 교회든, 크고 작은 모든 공동체는 목적을 가지고 있고, 그 목적을 이루기 위해 달려갑니다.

그런데 그 공동체가 존재의 목적을 효율적으로 실현해 나가기 위해 꼭 필요한 것이 바로 창조적이고 적극적인 태도로 일하는 진취적인 구성원들입니다. 그렇다고 해서 이런 사람들만 공동체에 도움이 되는 것은 아닙니다.

다른 사람보다 사고가 더 입체적이고 보수적이어서 예상되는 어려움들을 미리 파악하고, 대비하도록 자극하는 사람도 필요합니다. 마치 축구 경기에서 이기기 위해서는 실력 있는 공격수들만 필요한 것이 아니라 우세하게 경기를 펼치는 상황 속에서도 기습으로 골을 먹을 수 있다

(공동제 : 진취성 + 대비성.)

는 생각을 가지고 대비하는 수비수들도 필요하기 때문입니다.

그러나 모든 사람이 그렇게 미래에 대한 두려움과 염려로 가득 차 있어서 앞으로 나아가기를 두려워한다면 그 공동체는 결코 효과적으로 자신의 소명을 완수할 수 없을 것입니다. 어차피 가 보지 않은 모든 길은 모르는 길이고 그에 대한 모든 예상은 그야말로 예상일 뿐입니다. 실패가 두려워 시작도 못하는 사람들로 이루어진 공동체는 결코 하나님의 나라를 위해 이바지할 수 없습니다.

이와 같은 인생의 원리는 신앙의 원리이기도 하고 공동체에 있어서뿐 아니라 개인의 삶에 있어서도 마찬가지입니다. 미래는 어차피 미지와 두려움 그리고 의외의 난관들과 하나님의 축복이 함께 섞여 있는 그야말로 미래입니다.

끊임없이 하나님의 도움을 구하며 의지한다면 예상되는 실패와 난관들은 주님을 더욱 의지하고 자기를 의지하는 교만을 버리는 기회가 될 것입니다.   *expected failures & hardships*  →  *chance of relience to Jesus*

에디슨(Thomas Alva Edison)이 백열등의 필라멘트를 발명할 때의 이야기를 여러분은 들어보셨을 것입니다.

90여 가지의 재료로 실험했으나 필라멘트에 적합한 재료를 찾을 수 없자 그의 조수가 제안했습니다. "선생님, 필라멘트 발명은 불가능한 것 같습니다. 벌써 90여 가지 이상의 재료로 실험해 보았으나 모두 실패했습니다. 이제 그만 이 연구를 중지하는 것이 좋지 않겠습니까?"

그러자 에디슨은 이렇게 대답했습니다. "자네는 왜 우리가 실패했다고 생각하나? 우리의 연구는 실패한 것이 아니네. 필라멘트에 적합하지 않은 재료가 무엇인지 발견하는 실험을 90번이나 성공한 것이네."

이러한 생각과 끈기로 에디슨은 2,400번 만에 드디어 전류를 흘려 보내도 타지 않고 빛을 내는 필라멘트를 만들어 냈습니다.

## 공동체의 발목을 잡은 사람

세상이라는 환경을 알고 미래를 예상하며 여기에 맞설 대안을 모색하고 공동체를 헌신하게 하여 세상을 변화시키는 것은 진취적인 기상을 가진 사람입니다. 저는 적잖은 수의 사람들과 교회에서 혹은 선교지에서 사역하면서 이러한 사실을 깊이 체험하였습니다.

함께 어떠한 일을 추진해 나갈 때, 적극적으로 나서서 이런저런 의견을 개진하고 다양한 시도를 해보면서 앞으로 나아가려는 사람이 있는가 하면, 자신은 아무 의견도 내놓지 않으면서 다른 사람의 의견을 비판만 하는 사람들이 있습니다.

후자의 사람들의 이야기에 타당성이 없는 것도 아니어서 그것을 수용하다 보면, 결국 아무 것도 이루어지는 것이 없습니다. 아니, 이루어진 것이 없을 뿐 아니라 목표를 향하여 앞으로 가려는 공동체의 구성원들의 진취적인 자세와 사기까지도 꺾여 버리고 맙니다. 그렇게 쉽게 두려워하고 뒤로 물러서며 다른 사람들의 의견에 대해 비판적이기만 한 사람들은 어디로 가고자 하는 방향도 없으면서 공동체의 발목만 붙잡고 있는 사람들입니다.

　모든 달리는 물체에는 속도를 제어하는 정지 장치가 있게 마련입니다. 자동차의 브레이크나 배의 스크루를 돌리는 역회전 기능 같은 것이 그것입니다. 그렇기 때문에 부정적으로 보이는 사람들의 의견에도 우리는 귀를 기울여야 합니다.

　오직 한 방향으로만 통일된 생각을 가지고 그쪽 정보만 받아들이는 공동체는 매우 위험합니다. 당장은 단합이 잘 되고 강력한 추진력을 가진 것처럼 보이지만 언젠가는 그 대가를 치르게 됩니다.

*constant blaming*

　그렇지만 어떠한 사태에 대하여 적극적인 대책은 세우지 않고 대안도 없이 부정적인 발언만 계속하는 것은 공동체의 사기를 떨어뜨리고 사람들을 두려움 속에서 불안하게 하여 결국 공동체를 분열시키게 됩니다.

　그리고 그 자신도 진취적이고 발전하려는 사람들로부터 소외를 당하게 됩니다. 어떤 일을 추진하기 위해서는 그 일에 부정적인 사람들을 설득하는 것이 우선 과제인데, 그를 설득하는 데 과잉 에너지가 소비된다 싶으면 사람들은 결국 그를 제쳐두고 일을 하려 할 것이 자명하기 때문입니다.

*isolated by positive people*

　그러한 경험이 반복되면 부정적인 사람에게는 가능한 한 정보를 주지 않게 됩니다. 그가 최고 의사 결정권자라 하더라도 먼저 긍정적인 사람들과 생산적인 논의를 한 후에 대세를 형성해서 마지막에 설득하려 할 것입니다.

## 진취적인 사람과 쉽게 뒤로 물러서는 사람

직장생활의 경험을 떠올려 보면 흔히 잊기 쉬운 여러 가지 사실들을 생각하게 됩니다. 물론 회사에는 성실하고 유능하지만 승진 심사 때마다 누락되어 뒤처지는 사람들이 있습니다.

그렇지만 보다 더 많은 경우에 회사가 자신의 조직에 적합하지 않다는 판단을 내렸기 때문에 승진의 기회가 주어지지 않는 사람들도 있습니다. 이 사람들의 공통점은 새로운 도전에 움츠러들고 작은 위험에도 쉽게 물러서며 현실에 안주한다는 것입니다.

저는 큰 회사를 경영해 본 적은 없습니다. 그렇지만 우체국장을 지내면서 여러 직원을 통솔해 보았습니다. 또한 그 후에는 목회를 하면서 많은 교직원과 함께 사역하고 있습니다.

*organization = purpose + structure*

어느 단체에서 일을 하든지 그 단체는 각각 목표를 가지고 있고 그 일을 잘 이룰 수 있도록 조직을 갖추고 있습니다.

단체의 책임자는 주어진 제도와 기구를 사용하여 사람들과 함께 일을 하는데, 그의 관심사는 *want* 진취적으로 상황을 헤치며 전진하는 것입니다. 그러한 발전적인 동기가 없다면 그는 그 조직의 지도자일 수 없습니다.

*without 진취성, leaders are not good.*

그런데 이러한 진취적이고 발전적인 동기를 가지고 있는 지도자일수록 매사에 쉽게 물러서고, 어려움이 닥칠 때 도전하지 않으며, 자기와 다른 의견에 대해 늘 부정적인 견해만을 피력하는 사람을 좋아하지 않습니다. 한번 의욕이 없고 부정적인 사람이라는 인상을 주고 나면, 그 사람은 함께 목표를 향하여 달려갈 동료로 인정받지 못합니다.

매사에 쉽게 물러서고 도전하려는 정신이 없는 사람들은 그들만의 독특한 언어를 가지고 있습니다. 그리고 그것은 그 사람의 사고방식을 반영하는 것입니다.

예를 들어봅시다. 제가 교회 일을 하면서 아주 중요하고 의미있지만 힘든 과제를 제시하였다고 칩시다. 이런 제안에 대해서 그들은 이런 언어들로 대답합니다. "목사님, 그건 어렵겠습니다.", "아직 그런 시도는 무리입니다.", "뭐, 꼭 그렇게까지 해야 할 필요가……."

그러나 목표에 대한 열의가 있고 분명한 도전 의식이 있는 사람들은 그들 나름대로 이런 상황에서 즐겨 사용하는 언어들이 있습니다. "목사님, 힘들긴 하지만 할 수 있습니다.", "한번 해보겠습니다. 예산도 지원해 주시고, 시간도 좀 더 주신다면 최선을 다해 이루어 보겠습니다.", "우와, 그렇게 하면 정말 좋겠는데요."

저는 종종 함께 하나님의 일을 하다가 자신의 태만과 무관심으로 직무를 수행하지 않았으면서도 마치 그렇게 태만한 것이 교회의 예산을 아끼고 다른 사람들에게 폐를 끼치지 않기 위해 배려한 것처럼 꾸며서 말하는 사람들을 만납니다.

→ deceived

사람은 유창한 말에 속을 수 있으나 우리가 어떻게 섬기는지를 내려다보고 계시는 하나님의 마음까지 속일 수는 없습니다. 충성스러운 자는 충성스러운 방식으로 일을 할 수밖에 없고, 나태하고 게으른 자는 그런 방식으로밖에 일하지 않을 것이기 때문입니다.

그 공동체가 무엇이든지 간에 거기서 이루어지는 일은 흐르는 물과 같습니다. 흐르는 물은 가다가 바위를 만나면 그 바위를 돌아가거나 물들을 많이 모은 후에 가로막고 있는 바위를 무시하듯이 넘어가 버립니다.

매사에 진취적인 기상이 없고 뒤로 물러서기를 좋아하는 사람들은 강력하게 흐르는 물길에 놓인 하잘 것 없는 돌맹이와 같습니다.

지금은 영향력을 행사하지만 좀 더 시간이 흘러 선한 목표에 불타는 마음을 가진 사람들이 공동체를 가득 채우게 되면 거기서 이루어지는 일들은 물처럼 그 사람을 돌아 흐르거나 무시하고 그 위로 넘어가 버릴 것입니다. → *One who steps aside will be a rock passed by water.*

물도 아닌 것이 물 속에 남아서 거스르지도 못하고 함께 흐르지도 못하는 낙오자의 처지가 될 것입니다.

당장은 자신을 괴롭히는 과업이 없어서 편안할지 모르지만, 한 마음으로 선한 목표를 향해 달려가고 있는 공동체 속에서 그의 한가로움은 소외감으로 마음을 찌르는 화살이 될 것입니다.


## 일과 일하는 사람

힘들고 어려워도 어찌하든지 간에 하나님을 섬기며 발전하고 있다는 느낌은 사람으로부터 받는 단순한 인정 그 이상의 위로입니다. 사람이 일을 하지만 일은 사람을 만들기도 합니다. 우리의 일은 반죽과 같아서 우리의 마음과 몸으로 헌신하기에 따라 여러 모양의 형상을 가진 음식이 됩니다.

그러나 때로는 우리 자신이 반죽이 되어 우리가 하고 있는 일에 의하여 빚어져 가는 것을 느끼게 됩니다. 꼼꼼하게 처리된 많은 일들은 이미 그렇게 그 일을 수행한 사람을 꼼꼼한 사람으로 바꾸어 놓습니다. 또한 도전과 위협 앞에서 과감하게 결단하고 자기의 길을 걸어가며 섬긴 사람들이 남긴 결과물들은 그 일을 한 사람들의 용기와 기상을 보여줍니다.

저는 그리스도인들이 직장생활에서 늘 뒤처지는 것을 보면 정말 마음이 아픕니다. 그들은 그리스도를 믿는 믿음 때문에 죄 많은 회사에서 인정받지 못한다고 생각하지만, 사실은 그렇지 않습니다.

제가 직장생활을 할 때의 일입니다. 제가 아는 어느 회사에서 교회 다니는 그리스도인들이 신우회를 조직하였습니다. 그리고 점심시간마다 모여서 예배를 드리고 성경공부를 하였습니다. 그런데 그것이 직장 안에서 문제가 되었습니다.

신우회를 강력하게 비판하는 어느 간부를 향하여 바른 소리 하기 좋아하는 신우회 소속 한 직원이 공개적으로 항의하였습니다. "대한민국은 신앙의 자유가 있는 나라입니다. 우리가 점심시간마다 기독교인으로서 모임을 갖는 것을 무엇 때문에 비난하십니까? 이것은 명백한 종교 탄압입니다."

그러자 이 간부는 기가 막히다는 듯이 이렇게 대답하였습니다. "나는 당신들이 뭘 믿든지 관심도 없습니다. 내가 관심을 갖는 것은 왜 점심시간에 예배드리고 근무시간이 시작된 1시가 넘어서야 점심 먹으러 가는가 하는 것입니다. 다른 직원들 모두 사무실에 돌아와서 일하는 시간에 당신들은 식당에서 밥을 먹으며 잡담하고 있지 않습니까? 자기 책임을 다하지 않는 것이 그리스도인입니까?"

요점은 이것입니다. 그 공동체가 일반 회사이든지 교회이든지 자신에게 부여된 가장 중요한 목표를 향하여 진취적인 기상과 의지를 가진 구성원들이 인정을 받는다는 것입니다. 아마 그 간부는 회사의 일에는 열의를 보이지 않으면서 종교적인 일에만 열심을 내는 것을 비판하고 싶었을 것입니다.

술을 먹지 않고 주일에 회사에 출근하는 열성을 보이지 않는 것이 직장에서 도태되는 이유의 전부일 리는 없습니다. 회사는 일에 대해 진취적이며 긍정적인 사람을 결코 버리지 않습니다. 그들이 바로 그 회사의 실질적인 자산이기 때문입니다.

그리스도인들이 직장생활에서 범하기 쉬운 오류 중 하나는 자신의 부정적인 자세가 그 직장의 잘못 때문이라고 생각하는 것입니다. 그리하여 잘못된 직장에 대한 비판적이고 부정적인 자세는 바로 자신이 신중하고 경건한 사람임을 입증한다고 생각하는 것입니다.

물론 영원한 하늘나라를 바라보며 사는 그리스도인들의 입장에서 보면 직장생활뿐 아니라 심지어는 눈에 보이는 교회에서까지도 별로 가치가 없고 허무한 것들을 위해서 애쓴다는 느낌을 받을 때가 있을 것입니다. 그렇지만 그것은 어디까지나 우리의 세상살이를 영원의 관점에서 보았을 때 깨닫는 바입니다.

우리에게는 영원한 하나님의 나라를 최고의 가치로 생각하며 살아가면서도 또한 이 세상에서 우리가 할 수 있는 일들과 또 하여야 하는 일들에 헌신하면서 이 세상의 가치들을 하늘나라의 가치에 부합하도록 헌신하며 살아가야 할 소명이 있습니다.

때로 이런 일들은 하루 이틀에 이루어지지 않기도 합니다.

오랜 세월 동안 나 혼자의 힘이 아니라 다른 많은 지체들과 함께 협력하여 하나님의 나라가 반드시 오리라는 소망을 가지고 헌신하는 가운데 조금씩 이 세상이 고쳐져 가고, 변할 것 같지 않던 사람들이 바뀌어 갑니다.

그때까지 우리에게 주어진 길을 진취적인 태도로 걸어가야 합니다. 마음을 다하여 하나님의 나라가 이 땅에 이루어지기를 열망하며 작은 일에도 헌신하며 주님의 뜻대로 살아가기를 다짐해야 합니다. 이것이 바로 죄 많은 세상에서 그리스도를 사랑하는 사람들이 살아가는 방식입니다.

부정적인 태도와 경건한 신중함을 착각하지 마십시오. 신앙의 갈등으로 직장생활이 어렵다는 것은 그 회사가 도덕적으로 심각한 문제가 있지 않는 이상 비겁한 변명일 뿐입니다.

우리의 신앙은 그렇게 약하고 무능한 것이 아닙니다. 믿음으로 싸워서 이기고, 그릇된 것을 고치라고 하나님이 우리를 세상에 내보내신 것 아닙니까?

회사가 하는 일에 부정적인 태도를 보이며 아무런 대안도 제시하지 못하면서 혼자만 고결한 척 하는 직원을 누가 좋아하겠습니까? 원칙만 따지고, 정작 일에는 열성을 다하지 않는 사람을 귀하게 여길 상사나 동료는 없습니다.

그리스도인은 뭔가 다르다는 것을 진취적인 태도로 보여주십시오, 부정적인 태도는 '나는 그 일이 되거나 말거나 상관없습니다. 나는 그 일의 성취에 별다른 의지가 없습니다.' 라는 의미를 전달하지만, 진취적인 태도는 '나도 그 일에 희망을 걸고 있습니다. 최선을 다해 해보겠습니다.' 라는 의미를 전달합니다.

여러분이라면 누구에게 그 일을 맡기겠습니까? 일의 성패를 떠나 누구에게 더 신뢰를 느끼십니까?


## 청교도는 좋지만 청교도를 좋아하는 사람은 싫은 이유

*Puritans*

저는 개인적으로 청교도를 좋아합니다. 아마 지구상에 있었던 사람들 가운데 그들만큼 성결한 삶을 살았고, 그들만큼 진리에 대해 확고한 견해를 가졌던 사람들도 없을 것입니다. 그런데 청교도를 좋아하기는 하지만, 청교도를 좋아한다고 말하는 사람은 좋아하지 않습니다.

사실 처음에는 저도 청교도를 좋아한다고 하는 사람을 만나면 반갑고 좋았습니다. 그러나 한 사람 한 사람 깊이 알아가며 내린 결론은 많은 사람들이 '청교도 사상을 잘못 알고 있구나' 하는 것이었습니다. 청교도 정신은 청교도들이 살던 시대를 고려하면서 이어받아야 합니다.

청교도들이 살던 16세기의 유럽은 누구나 예수를 믿고 있는 시대였습니다. 즉 누가 올바르게 믿는가가 관심이었던 것입니다. 더군다나 청교도는 영국 국교회와 가톨릭으로부터 심한 핍박을 받고 있었습니다. 신앙의 순수성을 지키기 위해 몸부림치며 싸울 수밖에 없는 환경이었던 것입니다.

그래서 '우리는 이러한 것을 하지 않는다. 그런 것은 성경에 없다.' 는 식의 저항적인 태도가 등장합니다. 실제로 이러한 태도가 있었기에, 청교도들의 영적 생명력이 유지될 수 있었습니다.

모두 그리스도인이라고 자처하는 시대에 그들의 관심사는 올바르게 믿는 것이었습니다. 그랬기 때문에 부정적인 방식으로 자신의 신앙을 개진하지 않으면 진리와 비진리 사이를 구분하기 어려웠습니다. 로마 가톨릭에 대해서는 교황이 교회의 우두머리가 아니라고 말해야 했고, 영국 국교회에 대해서는 국왕이 교회의 머리가 될 수 없다고 도전하여야 했습니다.

그렇게 하지 않고 단지 그리스도가 교회의 머리라고 고백하는 것은 분명하지 않은 태도였습니다. 그것은 단지 그리스도도 교회의 머리고 교황도 그리고 국왕도 함께 교회의 머리가 될 수 있다고 주장하는 것과 혼돈을 일으킬 것이었기 때문입니다.

*clearly! Definitly*

미사도 마찬가지입니다. 미신적인 희생과 공로의 개념이 도입된 미사에 대해 분명한 거부의 입장을 밝히는 것 없이는 그리스도의 유일한 중보자 되심과 오직 성령과 진리 안에서 하나님을 만나는 성경적 예배의 정신을 분명히 할 수 없었기 때문입니다.

그러나 오늘날 우리는 온 세상이 기독교를 믿는 사회에 사는 것이 아닙니다. 그래서 우리의 문맥은 종교 개혁 시대나 청교도의 시대가 아니라 주후 1세기 사도들이 활동하던 초대 교회 시대의 문맥입니다.

그리스도인들이 흔히 내세우는 말로 우리나라의 기독교인이 1,200만이라고 합니다. 그러나 어느 신뢰할 만한 통계에 의하면 매주 교회에서 드리는 예배에 참여하는 숫자는 480만에 불과하다고 합니다.

그러나 중요한 것은 숫자가 아닙니다. 제가 말하고 싶은 것은 청교도와 개혁주의 신학의 적용에 있어서 그 시대 사람들이 자기 시대에 했던 것과 같은 방식을 우리가 그대로 따라서는 안 된다는 것입니다.

예를 들어 봅시다. 청교도를 좋아하는 사람들을 만나 이야기를 들어 보면, 자신들의 교회가 '무엇 무엇을 하지 않는다.'는 것을 올바른 신앙을 가진 유일한 표로서 주장합니다. 저는 청교도와 개혁주의 신학을 애호한다고 스스로 주장하는 목회자들이 청교도들처럼 그렇게 순교적인 삶을 살고 박해받던 그들처럼 열렬히 기도하고 전도하는 것같은 적극적이고 치열한 삶을 자기 교회의 특징으로 내세우는 사람들은 거의 만나지 못했습니다.

호박에 줄을 긋는다고 수박이 되겠습니까? 우리에게 중요한 것은 청교도들의 전통을 답습하거나 개혁가들의 목회나 설교 방식을 그대로 따르는 것만이 아닙니다. 그들은 자기 시대를 붙들고 씨름하였고 우리에게는 지금 우리의 시대가 있습니다. "

꼭 같은 진리를 사랑하고 확신하는 그리스도인들로서 종교 개혁자들과 청교도들이 투철한 성경 신앙으로 신약의 사도들의 시대의 신앙에 가장 근접하였다고 믿고 그들의 신학과 신앙의 정신을 본받으려고 애써야 합니다. 그러나 그들의 신학과 신앙은 우리 안에서 소화되어 우리의 시대를 끌어안고 씨름하는 데 이바지할 수 있어야 합니다.

→ tradition should be motified to be suitable to this age.

있지도 않은 지나간 시대를 끌어안고 씨름하는 것은 그야말로 자기 만족적인 경건의 코미디입니다.

그들은 제자훈련은 이러이러해서, 찬양 집회는 이러이러해서 옳지 못하다고 말합니다. 어느 교회는 전도만 한다고 비난하고, 어느 교회는 도덕 운동만 한다고 비난하고, 어느 교회는 선교에만 치우쳐 있다고 비난합니다.

→ blaming!

언젠가 이런 방식으로 이야기하는 젊은 목회자의 이야기를 듣다 참다 못해 이렇게 물었습니다. "저도 어느 정도는 당신의 의견에 동의를 합니다. 그러나 제자훈련이 등장한 데는 또 그만한 이유가 있습니다. 당시 한국 교회에는 기적을 몰고 다니는 부흥사들에게 현혹당하는 사람이 많아, 하나님의 말씀을 체계적으로 가르쳐야 할 필요가 있었습니다. 그래서 그 교회가 고민 고민하다가 내놓은 답이 제자훈련이었는데, 당신이라면 그러한 고충을 어떻게 해결하였겠습니까?"

또한 그는 오늘날 현대 교회에서 실행하고 있는 문화 중심의 사역을 비판하고, 찬양 집회에 대해서도 심각하게 문제를 제기하였습니다. 그리고 거기에는 제가 공감할 수 있는 많은 내용들도 들어 있었습니다.

그러나 제가 그와 대화를 나누면서 안타까웠던 것은 문제를 분석하는 것만큼 상황을 극복하려는 열심이 부족해 보인 것이었습니다. 현대 사회에 대한 앙심과 그를 따라가는 조국 교회에 대한 반감 비슷한 것을 품고 있는 것이 역력하였습니다.

→ criticism without affection.

저는 다시 한번 그에게 질문하였습니다. "그러면 현대 교회의 그 문제들에 대하여 당신이 옳다고 생각하는 것은 무엇입니까? 당신은 조국 교회가 어떻게 복음에 냉담한 불신자들을 끌어안아야 하고, 세속의 사상에 쉽게 흔들리는 초신자들을 배려할 수 있는지에 대한 성경적이고 현실적인 대안이 있습니까?"

신학적으로 옳고 그름을 따질 때에는 달변을 늘어놓더니만 막상 가장 실천적인 방식에 대해 질문을 하자 그의 말문이 막혔습니다. 그리고 겨우 제게 들려준 대답은 "잘 모르겠습니다. 거기까지는 생각해 보지 않았습니다."라는 것이었습니다.

그런 사고방식으로 목회하는 교회가 청교도적 건강함을 유지할 수 없다는 것은 너무나 분명합니다.

마음에 안 드는 것을 비판하는 것은 누구나 할 수 있는 일입니다. 저 역시 교회 속에서 행해지는 일들 중 마음에 안 드는 것에 대해 이야기해 보라고 하면 할 말이 많습니다.

교회에 복음성가가 보급되어 열렬하게 찬양드리는 것을 보면 한편으로 마음이 무거워집니다.

저는 삼위일체부터 시작해서 창조, 성부의 영광, 성령 안에 있는 희락, 그리스도인의 삶과 하나님의 나라의 영광스러움, 인간의 종말, 우주의 미래 등등을 골고루 찬양했으면 좋겠습니다.

그런데 복음성가를 보면 거의 대부분 하나님 만난 이야기입니다. 하나님의 장엄한 삼위일체적 특성, 창조주로서의 위엄, 그리스도 구속의 위대함과 교회생활의 아름다움, 하늘나라에 대한 소망 등이 모두 균형을 이루었으면 좋겠는데 한 쪽으로만 몰리는 것입니다.

그러나 이러한 상황이 잘못되었으니 신대륙으로 건너간 청교도들처럼 일체의 악기를 사용하지 말자고 제안하거나, 일체의 복음성가는 세속적이니 장중한 찬송가만 부르자고 하는 것은 올바른 대안이 아닙니다.

만약 교회에 있는 많은 젊은이들이 자기 시대의 가락과 곡조로 찬송을 부를 수 없게 교회가 금지한다면 그들은 세속적인 음악에 더욱 빠져들 것이고 찬송과 즐기는 노래들은 더욱 철저히 구분될 것입니다. 이러한 사고방식들이 그들의 삶을 이원화할 가능성이 많습니다.

원래 문화라고 하는 것은 중립적인 것입니다. 고급 문화와 하급의 문화가 구분되는 것은 사실입니다만 그 중 전자는 선이고 후자는 악이라고 부를 수 있는 그런 성격의 영역이 아닙니다.

할 수만 있으면 그리스도인들이 이러한 문화 활동에 적극적으로 참여

하여 육욕을 자극하고 감각에 호소하는 문화보다도 더 좋은 것을 문화 활동 속에서 찾아갈 수 있다는 것을 가르치는 것이 하나님의 뜻입니다. 때 묻지 않은 자연에게로 가까이 다가가는 심성은 그것을 등지고 육욕으로 달음질하는 심성보다 하나님께 더 가까이 있기 때문입니다.

### 낙관적 태도의 유익

어느 임금이 꿈을 꾸었습니다. 그 꿈은 자신의 이가 하나하나 다 빠져 버리는 꿈이었습니다.

왕은 나라에서 유명한 해몽가를 불러다 꿈을 해석하게 하였습니다. 그는 그 꿈을 해석하기를 "임금님의 친척들이 한 사람씩 모두 죽어 맨 나중에 임금님만 남게 될 것입니다."라고 해몽을 했습니다. 기분이 상한 임금은 그 해몽가를 죽이고, 다른 해몽가를 불러 오게 했습니다.

임금의 꿈 이야기를 듣고 새로운 해몽가는 이렇게 해석했습니다. "임금님이 집안의 모든 친척들 중에 가장 장수를 하신다는 꿈입니다."

이에 왕은 대단히 기뻐하며 그에게 많은 상금을 내렸다고 합니다.

어떤 일이든지 양면성이 있습니다. 좋은 점과 나쁜 점이 공존하고, 그 일이 잘 될 수 있는 이유와 안 되는 이유가 공존하는 것입니다. 그런데 부정적인 사람은 안 되는 이유에 집착을 합니다. 좋은 점보다는 나쁜 점을 크게 보는 것입니다. 그러나 진취적인 사람은 매사에 좋은 점을 먼저 주목합니다.

우리는 성경 속에서 죄인인 한 여자가 향유 옥합을 깨뜨려 예수님의 발에 붓고 그 발을 씻기는 장면을 만납니다. "한 여자가 매우 귀한 향유한 옥합을 가지고 나아와서 식사하시는 예수의 머리에 부으니 제자들이 보고 분개하여 이르되 무슨 의도로 이것을 허비하느냐 이것을 비싼 값에 팔아 가난한 자들에게 줄 수 있었겠도다"(마 26:7-9).

제자들은 향유가 아깝다는 생각을 했으나, 예수님은 여인의 마음을 어여삐 여기셨습니다. 그래서 화를 내며 여인을 질책하는 제자들과 달리 여인의 행동을 칭찬하셨습니다.

그런데 가난한 자들을 운운하는 제자들의 말은 언뜻 대단히 합리적인 말처럼 들립니다. 그러나 이런 말을 하는 제자들의 생각의 저변에는 여인의 행동을 막지 않으시고 가만히 계신 예수님의 처신에 대한 거부감도 깔려 있습니다.

평생을 모은 돈으로 준비한 향유를 아낌없이 예수님의 장사를 예비하기 위해 바친 여인과 그 여인의 눈물 겨운 섬김을 받으며 앞으로 닥쳐올 수난을 고요히 준비하시는 예수님, 믿음의 눈으로 보면 아름답기 그지없는 장면입니다.

그러나 제자들은 이미 그 여인에 대한 부정적인 판단을 내리고 있었고, 그래서 모든 것이 나쁘게 비쳤던 것입니다.

부정적인 태도는 모든 것을 부정적으로 해석하게 만듭니다. 눈을 가려 버려 아름답고 희망적인 것들을 볼 수 없게 만드는 것입니다.

그러나 진취적인 태도를 가진 사람은 비관적인 상황 속에서도 낙관을 발견합니다. 부정적인 사람은 결코 볼 수 없는 것들을 보고, 찾지 못하는 것들을 발견하는 것입니다.

그래서 부정적인 사람의 삶은 무미건조하고 변화도 없지만, 진취적인 사람의 삶은 즐거운 변화와 희망적인 기대가 가득합니다.

ㄴ낙관적인 것!

### 열정과 애정의 열매, 진취와 창조

본문에서 중풍병자의 친구들은 지붕을 뚫어 병자를 달아 내렸습니다. 그들에게는 중풍병자를 낫게 해야 한다는 강한 목표의식이 있었고, 그 열망이 그들로 하여금 지붕을 통해 병자를 매달아 내리는 창조적인 발상을 하게 만들었습니다. 진취적인 행동

그런데 이 열망은 중풍병에 걸린 친구를 깊이 사랑했기 때문에 생겨난 것입니다.

향유 부은 여인을 비난했던 제자들을 보십시오. 그들은 그것을 팔아 가난한 자들을 위해 쓰면 더 좋지 않았겠느냐고 말을 합니다.

그런데 그것이 정말 가난한 사람을 향한 깊은 사랑 때문에 나온 말입니까? 그들은 향유가 쓸데없이 낭비되는 것 같아 아까웠습니다. 여인은 예수님께 아무 것도 아까운 것이 없었지만, 제자들은 자신들이 모은 것도 아닌 그 향유가 아까웠습니다.

예수님을 향한 사랑이 여인보다 부족했기 때문이었습니다.

진취적인 태도는 사랑으로부터 시작됩니다. 사랑하면 부정적인 태도

를 보일 수 없습니다. 사랑하면 그 사랑하는 대상에 대해서 좋은 점만 찾게 되기 때문입니다.

신생아실에 누워 있는 아가들을 보면, 사실 그리 예쁘지 않습니다. 붓기도 채 빠지지 않았고, 피부도 빨갛습니다. 특별히 더 이쁘거나 못생긴 아이를 찾기 힘들 정도로, 갓 낳았을 때는 모두 비슷비슷합니다. 그런데 갓 부모가 된 사람들은 모두 그 중에서 자기 아이가 가장 예쁘고 영리한 것 같다고 말합니다. 자기 아이에게는 무엇인가 특별한 것이 있다고 생각하는 것입니다.

모든 엄마들이 한번씩 하고 넘어가는 고민이 무엇인지 아십니까? '우리 아이가 천재가 아닐까? 어떻게 돌도 안 된 아기가 맘마라는 말을 하지?' 아빠들에게도 비슷한 착각이 있습니다. '우리 애는 너무 예쁘다. 이대로만 자라면, 주변에서 연예인 시키라고 할 것 같아 걱정이다.' 모두 사랑하기 때문입니다.

*funny !*

## 진취적인 사람이 되라

마찬가지입니다.

삶을 사랑하는 사람은 삶에 대해 진취적인 태도를 갖습니다. 고난 속에서도 희망을 찾고, 지금 힘들어도 내일을 기대합니다. 그러므로 어떤 일에 대해 부정적인 전망을 갖고 있다는 것은 그 일에 애정이 없다는 것입니다.

때때로 아주 무능하고 부족해 보이는 사람인데도 유능하고 재능이 많은 사람보다 더 훌륭하게 일을 해내는 것을 볼 수 있습니다. 십중팔구 그 비결은 진취적인 생각입니다. <sub>아끼는 것!</sub>

기억하십시오. 애정은 진취적인 태도를 낳고, 진취적인 태도는 창조적인 발상을 끌어 냅니다. 그래서 진취적인 사람은 날로 유능해지지만, 부정적인 사람은 시간이 지날수록 도태됩니다.

여러분의 생각과 태도를 돌아보십시오. 부정적인 방향으로 흐르고 있지는 않습니까? 여러분 주위의 사람들을 살펴보십시오. 부정적인 성향이 강한 사람들이 이룬 규합에 속해 있지는 않습니까?

부정적이고 저항적인 태도를 가진 사람들은 어디를 가든 주류에 들지 못합니다. 역사는 진취적인 사람들에 의해 진행되고 이루어집니다. 진취적인 사람들이 새로운 역사를 쓰고 있는 동안, 부정적인 사람들은 함께 모여 뒤에서 당을 짓고 비판만 할 뿐입니다.

여러분은 어떤 사람입니까? 혹시라도 부정적인 사고의 틀 속에서 부정적인 삶의 태도를 고수하고 있는 사람이라면, 지금이라도 늦지 않았습니다. 지금이라도 자신이 그런 사람이라는 사실을 인정하고, 그것을 고치기 위해 노력하십시오. 우리의 태도에 도사린 문제를 고치는 일도 성화의 삶의 일부분입니다.

하나님은 진취적인 태도로 살아가는 사람을 기뻐하십니다. 하나님의 나라는 그러한 기상을 지닌 사람을 통해 이 땅에 이루어져 가기 때문입니다.

역사를 이끌어 가는 사람, 어느 일을 맡기든지 성취를 가져오는 사람, 어디에 있든지 주변인이 아니라 주역이 되는 사람이 되십시오. 그것이 하나님이 맡긴 사명을 사랑하고, 하나님이 허락하신 생을 감사히 생각하는 사람의 바람직한 인생입니다.

제3장

# 사과, 관계의 지혜

"유순한 대답은 분노를 쉬게 하여도
과격한 말은 노를 격동하느니라"

잠 15:1

신학교에서 교수로 재직할 때의 일입니다. 작은 교수실을 하나 배정받았는데, 평생 변변한 공부방 하나 가져 보지 못했던 터라 연구에 몰두할 수 있는 방이 생겼다는 사실만으로도 여간 감격스럽지 않았습니다.

힘든 줄도 모르고 광이 나도록 온 방안을 쓸고 닦았습니다. 일부러 가구시장까지 나가 소파를 사왔고, 학교에서 내 준 책상 위에는 예쁜 테이블보를 씌웠습니다.

그렇게 애지중지 그 방을 가꿨는데, 지내다 보니 심각한 문제가 하나 발견되었습니다. 바로 소음 문제였습니다.

교수실이 모자라서 원래는 하나였던 방을 막아 둘로 나누어 쓰고 있었는데, 하필 난방용 라디에이터가 중간에 있었습니다. 그래서 라디에

이터 주변은 뚫어둔 채 가운데 벽을 세웠고, 그러다 보니 옆방에서 나는 소리가 아무 여과 없이 다 들리게 된 것입니다.

마침 옆방은 연세 드신 여교수님이 사용하고 계셨는데, 그 분은 항상 라디오를 크게 틀어 놓곤 하셨습니다. 하루 종일 옆방에서 들려오는 라디오 소리가 저의 연구와 업무를 방해했습니다. 하지만 가장 큰 문제는 누군가와 조용히 대화를 나눌 수가 없다는 것이었습니다.

그 날도 누군가와 심각하게 대화를 나누던 차였습니다. 라디오에서 흘러나오는 노래 소리가 너무나 거슬려, 참다못해 조교에게 옆방에 가서 양해를 구하도록 하였습니다.

뚫린 벽 덕에 조교가 '똑똑똑' 문 두드리는 소리까지 제 방에서 선명하게 들렸습니다. 조교가 조심스럽게 "죄송합니다. 교수님! 우리 교수님이 볼륨을 조금만 줄여 달라고 하시는데요." 하고 말을 꺼내자, 벼락을 치는 듯한 호통소리가 날아왔습니다. "야! 그래 내가 볼륨 줄인다. 그런데 나 보고는 볼륨 줄이라고 하면서 너는 왜 교수실에 친구들을 데려와 노닥거리냐?"

저는 그제야 제가 없는 사이, 조교가 친구들을 방에 데려와 소란스럽게 굴었던 일이 있었음을 알게 되었습니다. 옆방 교수님은 "너나 네 친구들 데리고 교수실 들어오지마. 시끄러워 죽겠어!" 하며 조교를 심하게 야단친 후 돌려보냈습니다.

그런데 거기에서 끝났으면 좋았을 텐데, 그 교수님은 조교를 보낸 후 신학과 과장에게 전화를 걸었습니다.

옆 방에 소리가 다 전해진다는 사실을 그 분도 아시는 터라, 그것은 분명 저를 겨냥해서 하신 행동이었습니다. "신학과 과장님이시죠? 저 아무개 교수입니다. 저는 옆방을 쓰는 김남준 교수하고 어떻게든 좋은 이웃이 되어서 지내 보려고 했는데, 신학과 교수들 왜 그렇습니까? 속상해서 이거 방을 옮기든지 해야지."

'탕' 하고 전화기 내려놓고, '쾅' 하고 부서져라 문을 닫고 나가시는 소리까지 들으며, 저는 억울하다는 생각을 했습니다. '대체 내가 뭘 그렇게 잘못했지?' 아무리 생각해도 제게는 그 교수님으로부터 이런 대우를 받을 만한 잘못이 없었습니다.

밤이 되어 집에 왔는데, 자려고 누워도 도무지 잠이 오지 않았습니다. '정작 자기는 라디오를 듣다가 끄지도 않고 강의하러 나가 버린 적이 한두 번이 아니면서, 라디오에서 흘러나오는 가요를 참고 참다가 딱 한 번 소리 좀 낮춰 달라고 이야기한 것이 그렇게 잘못인가?', '소란을 피운 적이 있다 해도 그것은 조교의 문제 아닌가?', '날이 밝으면 그 교수를 찾아가 명명백백하게 시시비비를 가려야겠다.' 등등 온갖 생각으로 새벽까지 뒤척였습니다.

그러다 새벽녘에 일어나 기도를 시작했는데, 일단 사과를 하자는 생각이 들었습니다.

그래서 아침에 출근하자마자 그 교수님을 찾아 갔습니다. 벌써 저를 맞는 안색부터 곱지 않았습니다. 그러나 무조건 정중하게 인사를 드리고, "교수님, 어제 일로 속상하게 해드렸다면 죄송합니다. 저희 조교가 제가 없는 동안 제 연구실에서 소란을 피워 교수님을 불편하게 해드린 줄 미처 몰랐습니다. 어쨌든 다 제 잘못이니 용서하십시오."라고 사과를 건넸습니다.

그러자 신기하게도 그 분의 얼굴이 확 펴졌습니다. "아! 그런 게 아닙니다. 교수님이 미워서 제가 그런 것이 아니라 그 조교가 버릇이 없어서 혼을 낸다는 게 그만……. 오신 김에 앉아서 차나 한 잔 마시고 가세요."

차를 마시며 이야기를 들어보니, 그 분 역시 집에 가서 한 잠도 못 주무셨다는 것이었습니다. 라디오를 크게 틀어 놓은 것도 돌이켜 보니 마음에 걸리고, 무엇보다 나이 먹은 사람이 이해심 없이 그 자리에서 신학과장에게 전화를 건 것이 생각할수록 부끄러웠다는 것입니다.

그 날 이후 그 교수님과 저는 각별한 사이가 되었습니다. 그 교수님이 선교사로 가신다며 퇴직하시기 전까지 2년 여간 옆방을 썼는데, 선물도 많이 주고받았고 좋은 대화도 많이 나누었습니다.

아마도 아무 갈등이 없었다면 그 교수님과 친해질 수 없었을 것입니다. 이처럼 갈등은 보다 깊은 관계로 나아가는 기회가 되기도 합니다.

그러나 모든 갈등이 이와 같이 아름다운 결과를 도출하는 것은 아닙니다.

신문을 읽다 보면, 아주 작은 갈등이 살인의 참극을 불러온 예를 많이 발견할 수 있습니다. 주차 시비, 쓰레기 무단 투기, 식당 사이의 호객 경쟁 등 별 것 아닌 일에서 시작된 갈등이 살인으로까지 이어집니다.

"미안합니다."

한 마디의 부재가 끔찍한 결과를 만들어 내는 것입니다.


## 상황을 호전시키는 사과의 힘

아무런 잘못 없이 완벽하게 인생을 살아가는 사람은 없습니다. 누구나 무수히 실수하고, 본의 아니게 피해를 주기도 하며, 알게 모르게 다른 이들을 상처 입히며 살아갑니다.

그런데 많은 기독교인들이 하나님 앞에 잘못한 일들을 떠올리는 것에는 익숙하면서도, 다른 사람들에게 잘못한 일들을 돌아보는 데는 서툽니다. 하나님 앞에서는 당연히 죄인이지만, 사람들 사이에서는 그래도 제법 괜찮은 사람이라고 자부하는 경우가 많은 것입니다.

그러나 우리는 인생을 살며 하나님만 괴롭힌 것이 아니라 사람들도 많이 괴롭혔습니다. 우리가 삶 속에서 부딪히는 문제의 대부분은 하나님 앞에서 지은 잘못 때문이 아니라, 사람과의 관계에서 저지른 실수에서 기인합니다.

본문이 묘사하고 있는 상황도 어떤 갈등이 존재하고 있는 상황입니다. 어떤 일인지는 드러나 있지 않지만, 상대방이 매우 화가 나서 뭔가를 따지고 있습니다. 그때 필요한 것은 유순한 대답입니다. 덩달아 과격하게 대응하면 커다란 다툼이 일어나고 맙니다.

자동차 운전면허를 따고 한 달이 채 되지 않았을 때, 철원까지 차를 몰고 갈 일이 생겼습니다. 다행히 철원에 무사히 도착했는데, 차가 많지 않은 시골길이라 긴장이 풀려서 그랬는지 직진하는 버스를 미처 보지 못하고 큰길에 진입했습니다.

갑자기 나타난 제 차에 놀라 달려오던 버스가 급정거를 했고, 운전수는 화가 나서 버스에서 내렸습니다.

저는 급히 차에서 내려 상대방이 말할 틈도 없이 "죄송합니다. 제가 면허를 딴 지 3주밖에 안 되서 아직 서툽니다. 정말 미안합니다." 하고 사과했습니다. 결국 그 운전수는 "앞으로 운전 잘해요." 하고는 다시 차를 타고 떠났습니다.

만약 제가 그때 "당신은 왕년에 초보 아니었어? 사람이 다 실수도 하는 거지." 하고 맞대응했다면 어떻게 되었을까요? 진실한 한 마디의 사과는 상황을 호전시키는 놀라운 힘을 발휘합니다.


## 사과를 망설이는 이유

그런데 왜 사람들은 사과하는 일을 망설일까요?

첫째로 자존심 때문입니다. 그런데 사과를 꺼리게 하는 자존심은 올바른 자존심이 아닙니다.

정말로 자신을 존중하는 사람은 사과해야 할 상황을 대충 모면하지 않습니다. 잘못된 것은 인정하고, 자신으로 인해 상처받은 사람이 있다면 진심으로 고개를 숙이는 것이 자신을 올바로 지키는 일임을 알기 때문입니다.

그러므로 사과할 수 있는 용기가 진짜 자존심입니다.

개인적으로 일본 사람들을 만나 보면, 참 점잖다는 느낌을 받습니다. 실제로 동남아 휴양지에서 일본 관광객들에 대한 평가는 매우 좋습니다. 일본인은 아시아권의 다른 어떤 나라보다 예의가 깍듯하고, 질서 있게 행동한다는 것이 일반적인 중론입니다.

그런데 개개인이 풍기는 좋은 인상에도 불구하고, 국제 사회에서 일본인의 위상은 낮은 편입니다. 특히 아시아권에서는 많은 나라들이 일본에 대해 적대감과 편견을 갖고 있는 것이 현실입니다.

이것은 모두 자국의 과오를 대하는 일본의 태도가 미성숙하기 때문입니다.

독일의 경우를 보십시오. 1970년 당시 독일의 총리였던 빌리 브란트(Willy Brandt)는 2차 대전 최대 피해국인 폴란드의 전쟁 희생자 추모비를 방문하여 공식적으로 사과하였습니다. 그는 추모비 앞에서 무릎을 꿇고 눈물을 흘렸고, 그가 보여준 진심 어린 태도에 전 세계가 감동했습니다.

독일 정부 지도자들은 기회가 있을 때마다 자신들의 잘못을 공식 인정하고, 사과하기를 망설이지 않습니다. 그들은 과거 아리아인, 즉 게르만족에 의해 이루어진 영광스러운 역사를 진정 명예롭게 계승하기 위해서는 오욕으로 점철된 역사 또한 고스란히 껴안아야 한다고 믿었습니다.

그래서 그들은 스스로 나치 시대를 부끄럽게 여긴다고 밝히며, 과거의 역사적 잘못을 정직하게 인정했습니다.

사과하는 것을 자존심 상하는 일로 받아들이는 것은 그가 열등감에 사로잡힌 사람이라는 증거입니다. 그들은 사과를 꺼리는 태도는 그 자체로 비굴임을 모릅니다. 그들이 자존심이라고 생각하는 그 감정의 정체가 열등감이라는 사실도 인정하려 하지 않습니다.

정말 자신감 있는 사람들은 서슴없이 말합니다. "아, 그거 제가 잘못했군요. 제가 책임지겠습니다. 정말 미안합니다."

둘째로 자기가 잘못한 것을 모르기 때문입니다. 인터넷 상에서 통용되는 말로 하면, 개념이 없는 것입니다. 주변의 모든 사람들이 "네가 잘못했다."라고 이야기해도, 정작 본인은 자신이 잘못되었다고 생각하지 않습니다. 이는 자기 성찰력이 결핍되었기 때문인데, 안타깝게도 현대인들의 상당수가 이러한 문제를 갖고 있습니다.

여기에는 여러 가지 원인이 있는데, 우선 지적되어야 할 것이 컴퓨터를 비롯한 각종 디지털 기기들이 주는 감각적인 자극에 중독되어 있기 때문입니다.

*instant stimulus!*
*reflection!*

성찰 능력을 기르기 위해서는 기본적으로 사색이 필요합니다. 그런데 이 사색은 감각적인 것들로부터 어느 정도 거리를 두어야 가능합니다. 자기 자신을 객관적으로 바라보며, 스스로 감시하기 위해서는 관념적인 것들에도 생각을 집중할 줄 알아야 하는 것입니다.

그러나 삶의 철학이나 태도를 논하는 것을 고리타분하게 생각하는 이들의 귀에 이러한 충고가 들어올 리 만무합니다.

결국 스스로 자신의 문제를 파악하고 고칠 수 없기에 다른 누군가의 개입이 필요해집니다. 그런데 그 역할을 해줄 수 있는 존재가 그리 많지 않습니다.

제일 좋은 교정자는 부모인데, 올바른 삶의 태도와 철학을 가진 부모를 보며 자랐다면 애초부터 문제 상황은 발생하지 않았을 것입니다. 좋은 부모 밑에도 철없는 자식이 있는 법이지만, 개념 없는 행동으로 주변의 눈살을 찌푸리게 할 정도라면 이것은 명백히 가정교육의 부재입니다. 적어도 기본적인 소양이 있는 부모라면, 자식을 이렇게 방치하지는 않습니다.

그 다음으로 기대할 수 있는 존재가 친구입니다. 좋은 친구를 만나, 그 친구를 보면서 '인생은 이렇게 사는 것이 아니구나.' 깨닫게 되는 것입니다. 그러나 이렇게 될 확률 역시 매우 희박합니다. 유유상종이라고 삶의 태도가 불분명한 아이들은 꼭 그런 아이들끼리 친구가 되기 때문입니다.

그러면 기대하게 되는 세 번째 가능성이 선생님입니다. 좋은 선생님을 만나 변화되는 경우가 없지는 않지만, 지금의 교육 환경은 그러한 변화를 기대하기에는 조금 서글픕니다. 인성 교육보다는 입시 준비에 사활을 걸고 있는 것이 우리의 교육 실상입니다. 좋은 선생님을 통해 인생이 교정되는 일은 시간이 지날수록 점점 더 기적에 가까운 일이 되고 있는 것입니다.

네 번째 가능성이 배우자입니다. 그런데 사랑으로 끌어안아 줄 수 있는 좋은 배우자가 무엇 때문에 망가진 그 사람을 선택하겠습니까? 삶의 태도는 바른 삶의 태도를 가진 사람만이 고쳐 줄 수 있습니다. 그런데 기본적으로 삶의 태도가 다른 사람끼리 만나 결혼으로까지 이어지기는 쉽지 않습니다. 지나간 자리마다 넘어지고 상처 입는 사람들만 즐비하게 남기는 사람과 누가 결혼하고 싶겠습니까?

그래서 마지막으로 남는 것이 교회입니다. 그런데 목회자인 저도 목양하고 있는 성도들의 삶의 태도를 온전히 고쳐 줄 자신이 없습니다. 교회가 작아서 성도들을 한 명 한 명 잘 알고 있을 때라면 모르지만, 얼굴도 다 모르는데 어떻게 그들의 문제를 파악하고 고쳐 줄 수 있겠습니까?

이처럼 자기 성찰력이 없는 사람의 삶의 태도가 고쳐지는 일은 쉬운 일이 아닙니다. 잘못을 하고도 그것이 잘못인 줄 모르고, 어렵게 지적해 주어도 자기 논리로 변명만 늘어놓는 사람에게는 희망이 없습니다.

인간에게 소망이 있는 것은 성찰 능력이 있기 때문입니다. 반성할 줄 아는 사람에게는 실수도 교훈이 되고 좌절도 약이 되지만, 반성할 줄 모르는 사람은 성공은 성공대로 독이 되고 실패는 실패대로 해가 됩니다. 그러므로 우리는 인간답게 살기 위해서라도 자기 성찰력을 회복해야 합니다. ↳ A Reflection!

아이들은 게임을 하는 데 정신이 팔려 있고, 엄마는 텔레비전 드라마에만 빠져 살고, 아빠는 직장 일에만 관심이 있지 집에서는 잠만 자고 있지는 않습니까? 그런 삶의 구조 속에서는 아무도 사색을 배울 수 없고, 반성을 할 수 없습니다. 그저 각자 왕으로 자기 좋은 대로의 인생을 살아갈 뿐입니다.

끊임없이 자기 자신을 객관적으로 바라보며 성찰하는 능력을 길러 나가십시오.

그것이 하나님 앞에서 자기 자신을 돌아보는 삶입니다.


## 닉슨의 교훈

1970년대 초반까지도 닉슨(Richard M. Nixon)은 세계에서 가장 존경받는 정치인이었습니다. 그의 외교 능력은 이미 부통령 시절 소련을 방문해 흐루시초프(Nikita Sergeyevich Khrushchyov)와 회담함으로써 증명되었습니다.

그는 대통령이 된 이후에도 닉슨 독트린(Nixon Doctrine)을 발표하며 화합과 상생의 세계 질서를 세우는 데 기여했고, 미국 대통령으로는 처음으로 중국을 공식 방문하여 수교를 맺고 동서 데탕트(detente, 긴장 완화) 시대를 열었습니다.

1973년에는 베트남과 파리 협정을 맺으며, 미국을 악몽과도 같던 베트남전의 수렁에서 건져 내기도 했습니다.

닉슨은 경제적으로도 많은 성과를 낸 대통령입니다. 그는 당시 미국 경제의 가장 큰 이슈였던 인플레이션과 실업 문제 해결을 위해 다양한 각도에서 노력했고, 그의 경제 정책들 대부분이 성공을 거두었습니다.

국방 예산을 삭감하고 복지 예산을 늘리는 정책을 취한 것도 긍정적인 평가를 받는 대목입니다.

그러나 이런 여러 업적에도 불구하고, 사람들은 그를 '최악의 대통령'으로 꼽습니다. 사람들은 그를 '최초로 중국 땅을 밟은 미국 대통령'이 아니라 '불미스러운 일로 사임한 대통령'으로 기억하는 것입니다.

그런데 여기서 분명히 짚고 넘어갈 것이 있습니다. 닉슨의 불명예스러운 사임은 워터게이트 사건(Watergate Affair) 때문이 아니라 워터게이트 사건에 대한 그의 거짓말 때문이었다는 사실입니다.

만약 닉슨이 처음부터 솔직하게 자신의 잘못을 인정하고 진솔하게 사과를 했다면 어땠을까요? 역사는 다른 방향으로 흘러갈 수도 있지 않았을까요?

워터게이트 사건은 1972년 6월 워싱턴의 한 빌딩에 있는 민주당 전국위원회 본부에 절도범 5명이 침입했다 잡히면서 시작됩니다. 처음에는 단순 절도 사건으로 덮어지는 듯했습니다.

그런데 얼마 뒤 절도범 가운데 한 명인 맥코드(James W. McCord)의 수첩에서 닉슨 대통령의 측근인 헌트(Edward Howard Hunt, Jr.)의 백악관 사무실 전화번호가 발견됩니다. 그러나 당시 법무부 장관이었던 미첼(John Mitchell)은 백악관과 워터게이트 빌딩의 침입 사건의 연결고리를 완강히 부인했고, 백악관 역시 이를 부인하는 성명을 발표합니다.

그해 11월 결국 닉슨은 미국 역사상 최고의 득표율로 재선에 성공합니다.

그러나 재선에 성공한 이후에도 워터게이트 빌딩 침입 사건은 계속 닉슨의 발목을 잡았습니다. 기소된 범인들이 전원 유죄를 시인하자, 상원은 워터게이트 특별 조사위원회를 구성하여 백악관 직원들을 소환하기 시작했습니다. 언론 역시 무엇인가 석연치 않은 구석이 있음을 간파하고 추적을 계속했습니다.

이에 닉슨은 1973년 11월 17일 플로리다 주 올랜도에서 400여 명의 기자들을 모아 놓고 자신의 결백을 주장하는 기자회견을 갖습니다. "I am not a crook"(나는 사기꾼이 아니다). 그러나 안타깝게도 그의 이 말은 희대의 거짓말로 역사에 길이 남게 됩니다.

이후 닉슨의 처신은 꼬리에 꼬리를 무는 거짓말로 점철됩니다. 사건의 내막이 드러나며 백악관과의 연결고리를 부정할 수 없게 되자, 닉슨은 "나는 모르는 상태에서 측근들이 과잉 충성으로 저지른 일이다."라고 변명합니다.

그러나 이런 부정직한 태도는 사건의 논점을 닉슨의 사건 은폐 시도 여부를 가리는 방향으로 몰아가고 맙니다.

대통령 집무실의 모든 대화가 자동으로 녹음이 된다는 사실이 청문회를 통해 알려졌고, 상원 특별 조사위는 대화 내용이 녹음된 테이프 제출을 요청합니다. 하지만 닉슨은 대통령의 특권을 들어 이를 거부합니다. 우여곡절 끝에 테이프를 제출할 수밖에 없게 되자, 어쩔 수 없이 테이프를 제출했는데 알고 보니 약 18분 분량이 삭제되어 있었습니다.

닉슨의 거짓말에 법원도, 언론도, 국민도, 심지어 측근들조차 지쳐 갔고, 결국 1974년 7월 하원은 권력 남용, 선거 방해 및 정치 감찰, 탈세, 사건 수사 방해 및 은폐 시도 등의 이유로 닉슨의 탄핵안을 채택합니다. "더 이상 감춘 게 없다."는 거짓말로 일관한 대통령의 비참한 파멸이었습니다.

1974년 8월 4일, 닉슨은 워터게이트 사건 은폐에 사실상 관여했으며, 수사의 범위를 백악관까지 확대하지 말도록 연방수사국(FBI)에 지시했었다는 사실을 털어 놓습니다. 그리고 8월 8일, 사퇴 성명을 발표하고 쓸쓸히 권력에서 물러납니다.

모두 어떻게든 잘못을 은폐하고 넘어가려던 시도가 자초한 비극이었습니다.


### 실수 자체보다 실수 이후가 중요하다

잘못을 인정하는 것은 부끄러운 일이 아닙니다. 정말로 부끄러운 것은 잘못을 들키지 않으려고 전전긍긍하는 태도입니다.

무엇인가 잘못이 있다면 사과하는 일에 머뭇거릴 필요가 없습니다. 사과해야 할 상황에서 사과하지 않고 넘어가는 것은 상대는 물론 자기 자신까지 망치는 행위입니다.

제대로 사과하지 않는 사람에게서 상대방이 전달받는 것은 '나는 당신과의 관계를 중요하게 생각하지 않으며, 당신을 존중하지도 않습니다.'라는 메시지입니다.

"미안합니다."라는 말을 두려워하지 마십시오.

사과란 실수한 사람의 자기 존중이지, 결코 굴욕이나 패배가 아닙니다. 누구나 실수합니다. 그러므로 중요한 것은 실수 그 자체가 아니라 실수 이후의 태도입니다.

어느 책에서 골드만삭스(Goldman Sachs)의 CEO이자 미국의 재무장관을 역임한 바 있는 행크 폴슨(Hank Paulson)이 이렇게 말하는 것을 보았습니다. "나는 부하 직원들과 대화할 때 내가 저지른 실수에 대해 이야기하는 것으로 시작한다. 이는 직원들에게 자신도 할 수 있다는 자신감을 불러일으키기 위해서이다." 실수를 겸허히 인정하는 사람을 사람들은 더욱 많이 신뢰합니다.

각각 다음과 같은 문구를 붙인 과일가게가 있다고 칩시다. '우리 가게의 과일은 최고의 당도를 자랑합니다.', '산지 사정으로 오늘 수박은 당도가 조금 떨어집니다. 구입에 참고하십시오.'

여러분은 어느 가게의 과일에 더 신뢰가 가십니까? 어느 가게의 단골이 되겠습니까?

사람들의 심리는 이상합니다. 무릎을 꿇고 "제가 잘못을 했습니다. 부디 나를 용서해 주십시오."라고 말하는 사람이 그렇게 못하는 사람보다 오히려 더 크고 중요하게 마음에 남습니다.

따라서 사과하면 왠지 상대방이 자신을 깔보고 무시할 것이라는 생각은 버려도 좋습니다. 무릎을 꿇은 상대를 보며 처음에는 약간의 우월감을 느낄 수도 있을 것입니다.

그러나 그것보다 더 진하게 그의 가슴에 각인되는 인상은 '이 사람은 나와의 관계가 끊어지는 것을 원하지 않는구나. 나도 이 사람을 믿어 주고 싶다. 이 사람과 더 깊은 관계를 형성하고 싶다.' 라는 것입니다.

## 용서가 어렵고 사과가 힘들다면

사도 바울은 교회들에 보낸 서신서에서 서로 용서할 것을 강하게 권면하였습니다.

"서로 친절하게 하며 불쌍히 여기며 서로 용서하기를 하나님이 그리스도 안에서 너희를 용서하심과 같이 하라"(엡 4:32). "누가 누구에게 불만이 있거든 서로 용납하여 피차 용서하되 주께서 너희를 용서하신 것같이 너희도 그리하고"(골 3:13).

영적인 공동체인 교회 안에서도 서로 잘못하는 일들이 있었습니다. 그러나 그들은 그때마다 용서를 빌었고, 또 용서했습니다. 그것이 힘들고 어려울 때가 왜 없었겠습니까? 그러나 예수님이 우리를 위해 치르신 희생과 노고를 생각하며 그들은 용서를 실천했고, 그 모든 과정을 거쳐 보다 끈끈한 관계로 나아갔습니다.

사람마다 용서하는 것이 좋다는 것은 알고 있습니다. 더욱이 그리스도인들은 자기에게 잘못한 사람들은 물론 심지어 원수까지라도 용서해 주도록 부름 받고 있습니다.

사람들은 쉽게 말합니다. 사과 없이도 용서해 주는 것이 사랑이라고……. 그러나 인간관계 속에서 그런 사랑을 발견하기란 매우 어렵습니다. 모든 사람이 우리를 그렇게 사랑하지 않는 것은 우리가 모든 사람을 그렇게 사랑하지 못하는 것과 같은 이유 때문입니다.

완전한 용서와 사랑은 하나님께만 있습니다. 그러므로 우리 인간은 서로 자신의 잘못을 반성하고, 먼저 사과하고 용서를 구함으로써 다른 사람들 마음 안에 있는 자비와 사랑을 이끌어 내야 합니다.

만약 우리가 서로 마음을 닫고 자신에 대해서 반성하지도, 자신의 잘못에 대해 다른 사람들에게 사과하지도 않으려 한다면, 작은 실수와 잘못으로도 관계는 깨어져 미움과 원망의 평행선을 달리게 될 것입니다. 이것이 어찌 그리스도가 하나님의 자녀들에게 기대하셨던 삶일 수 있겠습니까?

사과하는 것이 힘들 때마다, 우리가 아직 죄인 되었을 때에 우리를 용서하시기 위해 고난을 받으신 그리스도를 생각하십시오. 그러면 사과는 너무나 쉬운 삶의 기술이 될 것입니다.


## 사과, 관계의 열쇠

사과는 닫힌 관계의 문을 여는 열쇠입니다. 아무리 관계를 개선해 보려고 해도 되지 않는 사람이 있습니까? 충분히 기도하고, 먼저 사과해 보십시오.

여러분의 입장을 설명할 필요는 없습니다. 그것은 그 사람의 마음의 빗장이 열린 이후에 해도 됩니다.

다른 이야기는 모두 가슴에 묻어 두고, 우선 진심으로 사과를 하십시오. 잘잘못이 누구에게 더 많은지, 누가 먼저 원인을 제공했는지 등은 굳이 따지지 않아도 나중에 다 알게 됩니다. 관계가 회복되면, 갈등을 일으킨 문제 상황도 자연스럽게 풀리는 것입니다.

제가 아는 한 사람은 심각할 정도로 자기의 과실을 인정하려 하지 않았습니다. 참 성실하게 맡겨진 일을 해내는 사람이라 다른 지체들로부터 그런 이야기를 처음 전해 들었을 때는, 반신반의했습니다.

그러나 제게도 그러한 문제가 느껴졌고, 안타까운 마음에 말을 꺼냈습니다.

그런데 막상 이야기를 나누어 보니 목사인 제가 화가 날 정도였습니다. "그건 목사님이 잘 모르셔서 그래요.", "그것은 목사님이 일부분만 보셔서 그래요." 그래서 나중에 그랬습니다. "야, 아무렴 내가 너만큼 모르겠니? 누가 진심으로 너를 위해 뭐라고 충고를 하면, 제발 귀 담아 좀 들어라."

그 날 이후로, 저는 그 지체와 깊은 대화를 나누는 것이 매우 어렵게 느껴졌습니다. 그렇게 살면 결국 자신의 잘못을 반성할 줄 모르는 자기만 외롭게 남겨질 뿐입니다. 철저하게 자기를 변명하여 얻어 낼 수 있는 것은 아무도 돌아보아 주지 않는 외로움뿐입니다.

무엇인가 꾸지람을 들으면 "예. 제가 잘못했습니다. 최선을 다하지 못했습니다." 일단 인정하십시오.

그럴 수밖에 없는 사정이 있었다면, 얼마 지나지 않아 그에게도 알려질 것입니다. 다른 것은 생각하지 말고, 각자 자신이 잘못한 것만 생각하십시오.

그러면 문제는 한결 간단해집니다.


## 사과의 기쁨을 배우라

딸아이가 중학교를 다닐 때 쯤으로 기억합니다. 밤 12시가 넘었는데, 문소리가 나서 나가 보니 딸이 콧노래를 부르며 들어서고 있었습니다.

한밤중에 어딜 다녀오는지 물으려고 다가갔더니, "어, 아빠!" 하며 저를 와락 끌어안았습니다. "왜 이렇게 기분이 좋아? 무슨 선물이라도 받았어?" 물었더니, 한동안 사이가 멀어졌던 친구가 집 앞으로 찾아왔더랍니다. 그리고 먼저 사과를 하더랍니다.

순간 제 딸도 너무 미안해져서 "내가 더 미안하다."고 말하고, 화해를 했다고 합니다. 그런데 그러고 나니 기분이 너무 좋아서 마치 날아갈 것 같다는 것입니다.

사과를 해본 사람만이 사과의 기쁨을 압니다. 사과할 용기가 없다고 말하지 마십시오. 마음에 무거운 짐을 지고 살아가도 괜찮다고 생각하는 것이 더 무모한 용기입니다.

새가 추를 달고는 멀리 날 수 없듯이, 마음에 무거운 짐을 지고는 성도의 올바른 삶을 살 수 없습니다. 기쁨과 관용의 태도는 마음이 가벼운 사람만이 가질 수 있습니다.

　잘못을 시인하고 진심으로 사과하는 것을 두려워하지 마십시오. 사과는 한 사람의 인격의 깊이를 보여주는 행동이며, 보다 깊은 관계로 나아가게 하는 지혜입니다.

제4장

# 다툼, 관계의 파괴

"다툼을 멀리 하는 것이 사람에게 영광이거늘
미련한 자마다 다툼을 일으키느니라"

잠 20:3

희랍 신화 가운데 이런 이야기가 있습니다. 헤라클레스가 길을 걷다가 길 위를 굴러다니던 어떤 이상한 물체에 발등을 찍혔습니다. 화가 난 헤라클레스는 그것을 부서 버리려고 발을 높이 들어 힘껏 밟았습니다.

그런데 이게 웬일입니까?

부서지기는커녕 몇 배 더 커지는 것이 아닙니까?

약이 오른 헤라클레스는 그 물체를 더욱 세게 밟고 몽둥이로 내리치기까지 했습니다. 하지만 그럴수록 그 물체는 점점 커질 뿐이었습니다. 부수려고 하면 할수록 더욱 커지는 악순환이 되풀이되어, 마침내 그 물체는 헤라클레스가 가려던 길까지 꽉 막아 버렸습니다.

그제야 헤라클레스는 놀라 몽둥이를 내던지고 주저앉아 버렸습니다.

우두커니 앉아 이러지도 저러지도 못하고 있는 헤라클레스 앞에 아테네가 나타났습니다.

"이것은 다툼이라는 녀석이지요. 도발하지 않는 한 그것은 처음 모양으로 있어요. 그러나 더불어 싸우면 한없이 불어나지요."

## 사람의 영광

사람이 살아가기 위해서는 일단 육신적인 필요가 채워져야 합니다. 먹고, 자고, 입는 등의 문제가 해결되어야 하는 것입니다. 그런데 먹고 사는 문제들이 어느 정도 해결되고 나면, 그 다음에 사람들이 필요로 하는 것이 있습니다. 바로 '사람 대접'을 받는 것입니다.

사람은 누구나 인정을 얻고 대접을 받는 것을 좋아합니다. 그리고 이것이 바로 성경 본문이 이야기하고 있는 '다툼을 멀리하는 사람이 누리게 되는 영광'입니다. 흔히 '영광' 하면 하나님의 영광만 떠올리는데, 사람에게도 사람 나름대로의 영광이 있습니다. 재물, 명예, 남다른 대접을 받는 것, 좋은 것을 많이 누리는 것 등이 모두 사람의 영광입니다.

그런데 참 재미있는 것이 사람은 스스로 영광을 누리는 것은 좋아해도, 다른 사람에게 영광을 누리게 하는 것에는 인색하다는 것입니다. 그래서 우리는 우리 자신이 가지고 있는 장점이나 좋은 점들이 사람들에게 과소평가받지 않도록 잘 지켜야 합니다. 근래 들어 대두되고 있는

'자존감 갖기'도 이런 맥락의 개념입니다.

그러면 왜 성경은 다투지 않는 것이 사람에게 영광이 된다고 말하고 있는 것일까요?

사실 어떻게 보면 쉽게 화내고, 아무 거리낌 없이 다투는 사람들이 오히려 더 대접받는 것 같기도 합니다. 목사들이 모이는 단체 안에도 다투기를 좋아하는 사람이 있는데, 모두 가급적 그 사람을 건드리지 않으려고 애씁니다. 그 사람이 말하면 가능한 토를 달지 않고, "아, 그렇군요." 하고 넘어갑니다.

가만히 보면, 그 사람이 가장 외롭고 불쌍하다는 것을 알 수 있습니다. 모두 겉으로만 대우해 줄 뿐, 마음으로는 그를 무시하고 있기 때문입니다.

여러분은 어떻습니까?

사람들이 공손하게 대해 주는 것, 여러분의 말에 고개를 끄덕여 주는 것 말고, 여러분의 인간관계를 돌아보십시오.

마음을 털어 놓을 수 있는 친구가 있습니까? 여러분의 단점을 진심으로 안타까워하며 지적해 주는 친구가 있습니까?

다투며 사는 사람은 이 세상을 살아가며 진정한 의미에서의 '사람 대접'을 받지 못합니다. 그것은 다투는 사람들이 이 세상을 살아가며 겪어야 하는 응분의 희생입니다.

## 다툼의 삶을 사는 이유, 혈기

다툼을 좋아하는 사람은 없습니다. 그럼에도 사람들은 자꾸만 다툽니다. 심지어 어떤 사람들은 다툼을 일삼으며 살아갑니다. 대체 왜 그렇게 살아가는 것일까요? 다투는 데는 여러 가지 이유가 있지만, 여기에서는 대표적인 두 가지만 거론하겠습니다.

첫째로 혈기 때문입니다. 엄청난 이해관계가 얽혀 있지 않은 데도, 죽기 살기로 덤벼드는 사람들이 있습니다. 이들은 사안이 중대해서가 아니라 스스로 자신을 통제하지 못하기 때문에, 별 것 아닌 일에도 목에 핏대를 세웁니다.

사실 누구나 속에서 울컥하고 치밀어 오르는 혈기를 경험합니다. 그러나 대다수는 그것을 절제하며 살아갑니다. 절제가 반복되다 보면, 무엇인가 심각하게 '욱' 하고 치밀어 올라도 그것을 억누를 수 있는 저항력이 길러집니다.

하지만 절제 없이 치밀어 오르는 대로 발산하며 살아온 사람에게는 혈기를 억제할 수 있는 그 어떤 통제력도 존재하지 않습니다. 그래서 별 것 아닌 일에도 화를 주체하지 못합니다.

주일에 교회 마당을 지나다 보면, 젊은 엄마의 고함소리가 들릴 때가 있습니다. 아이가 위험한 장난을 쳤거나 무엇인가 큰 잘못을 저질러 야단을 치는 경우인데, 엄마의 얼굴을 확인하고 빙그레 미소를 지은 적이 한두 번이 아닙니다.

청년부에 있을 때는 너무 얌전해서 목소리 한번 제대로 들어 본 기억이 없는 자매였던 것입니다. '그 다소곳하던 자매가 말썽꾸러기 아들 둘 키우려다 보니 목청이 커졌구나.'

실제로 엄마들의 고백을 들어보면, 자신들도 처음에는 아이에게 소리 지르는 엄마들을 이해할 수 없었다고 합니다. 그런데 아이가 둘 셋 되고, 아이들을 통제하기가 버거워지다 보니, 버럭버럭 소리 지르는 일이 많아졌고, 소리도 지르다 보니 별 것 아닌 일에도 "야!" 하는 호통이 먼저 나오게 되었다는 것입니다.

혈기란 자신이 원하지 않는 상황에 대해 일어나는 분노와 거절의 정동을 절제 없이 표출하는 것입니다.

그런데 더욱 무서운 것이 혈기의 습관화입니다. 한 번 두 번 반복하여 절제없이 혈기를 쏟아 내다 보면, 그것이 자연스러운 성향이 되어 버립니다. 이렇게 되면 생각에서 말로 또 느낌에서 행동으로, 절제나 반성 없이 곧바로 충동적 발산으로 이어지는 삶을 살게 됩니다.

더구나 충동적 삶은 그 삶을 살아가는 사람으로 하여금 매우 값비싼 대가를 치르게 합니다. 절제 없이 쏟아낸 혈기의 행동은 순간의 일이지만, 이로 말미암아 파괴되는 인간관계는 오래도록 지속되기 때문입니다.

심지어 깨어진 인간관계는 일평생 우리를 괴롭히며, 부메랑이 되어서 우리의 삶을 압박하는 버거운 무게로 다가오게 됩니다.

## '욱' 하는 인생이 치르는 대가

만나면 반가운 사람이 있는가 하면, 마주칠까 무서운 사람이 있습니다. 조금만 마음에 안 들어도 얼굴 표정에 다 드러나고, 혈기를 참지 못해서 가는 곳마다 시비가 붙는 사람이라면 누구나 만나기를 꺼릴 것입니다.

사람이라면 누구나 잘 웃고, 부드럽고, 관대하고, 따뜻한 사람에게 끌립니다. 이것은 편애가 아니라, 인간이 공통적으로 가지는 성향입니다.

어떤 자매의 이야기입니다. 그녀는 좋은 대학을 나와, 좋은 회사에 취직을 했습니다. 원래 지기 싫어하는 성격이라, 맡는 일마다 최선을 다해서 했습니다. 열심을 내니 실적도 좋았고, 덕분에 다른 사람보다 성과도 많이 올렸습니다.

그런데 이상하게도 주변 사람들은 그녀를 다정하게 대해 주지 않았습니다. 그녀의 능력은 인정해도, 그녀를 동료로 친절하게 받아 주지 않던 것입니다.

그럴수록 그녀는 이를 악물었고, 다른 사람이 뭐라고 해도 자기 주장을 관철시키며 성과를 내는 데만 매진했습니다. 얼른 승진해서 더 높은 곳으로 가야겠다고 결심했기 때문입니다.

그런데 막상 승진 발표가 났는데, 그녀는 누락되고 객관적인 데이터상으로도 그녀에게 한참 밀리는 다른 직원이 승진하고 말았습니다. 그녀는 너무 억울해서 인사 담당 상무를 직접 찾아갔습니다. 그리고 "상무님! 저는 그 동안 회사와 집밖에 모르고 살았습니다. 저의 실적을 보십시오. 누구와 비교해도 뛰어난 실적이 아닙니까? 도대체 무엇을 기준으로 제가 승진에서 탈락한 것입니까?"

그러자 인사 담당 상무는 난감한 듯이 한참을 허공만 보다가 이렇게 말했다고 합니다. "이봐! 나도 자네를 승진시키고 싶네. 그런데 자네 직속 상관이 자네는 절대 안 된대. 그리고 다른 부서장들도 자네와는 같이 일하고 싶지 않다고 해."

자신의 일에 열정이 있고 목표 의식이 분명한 사람들은 그 일을 진행해 나가는 데 있어서 발생하는 어려움들을 힘들어 합니다. 더욱이 그 어려움이 특정한 사람들과 관계가 있을 때, 일에 대한 열정과 집착으로 사람들과의 관계를 파괴하는 행동도 서슴지 않습니다. 자신의 일이 방해받고 있을 때, 욱하고 치밀어 오르는 혈기를 스스로 일의 성취를 위한 정당한 분노라고 합리화하기 쉽기 때문입니다.

그리고 그러는 사이 그들은 이미 자신의 일에 도움이 되지 않는 사람들을 무능하고 가치없는 사람들이라고 판단해 버립니다. 그래서 이런 사람들은 혈기에 대해서 반성하기보다는 자신에게 그런 혈기를 불러일으킨 사람들을 반성하도록 만들고 싶어합니다.

저는 교회의 직원들에게 늘 말합니다. "마음은 둥글게, 일은 네모지게……." 그러나 사실은 인간이 그렇게 하기가 쉽지 않다는 것을 늘 느낍니다.

마음이 둥글둥글해서 사람들과 잘 지내는 사람은 일도 절도가 없고

good in relationship - ⭕ VS ⬜ - bad in relationship
bad in works - - good in works.

목표 의식도 부족하여 어려움이 있을 때 인간관계를 상하게 하면서까지 자신의 일을 완수하려고 하지 않습니다. 어떻게 보면 사람들에 대해서 좋은 태도를 가지고 있다고도 말할 수 있지만, 업무의 견지에서 보면 그는 일에 대한 열정이 부족한 사람입니다.

반면에 무슨 일을 시키든지 정말 반듯하게 제때에 처리해 내는 사람들은 마음도 칼로 깎은 듯 모난 경우가 많습니다. 그들은 자신이 세운 계획대로 완벽하게 업무를 수행하는 데 방해가 되는 사람들을 참지 못합니다. 그래서 가차 없이 그들의 일처리의 태도, 능력, 판단력 등을 비판하며 몰아 세웁니다. 어떻게든 자신의 일을 완수하려는 열정은 나쁜 것이 아니지만, 인간관계의 견지에서 보면 그는 사람에 대한 배려와 예의가 없는 사람입니다.

덕스러운 인생을 산다는 것은 어찌하든지 이 두 가지가 잘 조화를 이루며 삶의 과업들을 수행해 가는 것입니다. 수많은 사람들과 관계를 맺으며 살아가다 보면, 일이 관계를 깨뜨리기도 하고 또 일이 사람들과의 관계를 좋게 만들기도 합니다.

work - lube for relationship - force for relationship (to who controls itself well)

그래서 지혜로운 사람들에게는 일이라는 파도가 함께 인생길을 항해하는 사람들과 더 긴밀해지게 하는 수단이자 더욱 빠른 항해도 가능하게 하는 추진력이지만, 그렇지 못한 사람들에게는 일이라는 파도가 인간관계를 망가뜨리고 인생의 항해를 꼬이게 하는 무시무시한 위협입니다.

그러므로 우리는 언제나 일에 대한 목표는 양보하지 않으면서, 다른 사람들과의 관계를 일을 위한 수단이라고 생각하지 않고 이렇게 함께 어울려 살아가는 것이 하나님이 우리에게 주신 소명이요 기쁨이라고 생각해야 합니다.

*Work ≠ doit lose its purpose*
*→ but don't break relationship*

이렇게 생각을 바꾸면 일을 하다 마음 상하는 일이 있어도 생각나는 대로 혈기를 부리는 대신 자기를 절제할 수 있게 됩니다.


## 사람을 남기는 삶

정말 지혜로운 사람은 일을 통해서 사람을 얻고, 얻은 사람들을 통해 필요한 일들을 감당해 나갑니다. 누구도 다른 사람에 의해 자신이 수단으로 사용되는 것을 기뻐하는 사람은 없습니다.

조선시대의 거상 임상옥의 삶을 다룬 『상도』라는 드라마가 있었습니다. 거기에는 '장사란 이윤을 남기는 것이 아니라 사람을 남기는 것'이라고 생각하는 상인 임상옥과 '돈을 벌기 위해서라면 수단과 방법을 가리지 않아야 한다.'고 생각하는 상인 박주명이 등장합니다.

전혀 다른 가치관으로 장사에 임했던 두 사람은 결국 전혀 다른 결말에 도달합니다. 임상옥은 사람과 더불어 엄청난 부까지 소유하게 되었으나, 박주명은 사람은 물론 돈까지 잃고 만 것입니다.

목적을 달성하기 위해서라면, 사람들에게 상처를 입히고 동료들과 끊임없이 이익을 가지고 경쟁해도 된다고 생각하십니까?

인생에서 정말 중요한 성과는 사람 그 자체입니다. 인생에서 사람의 마음을 얻는 것보다 남는 장사는 없습니다. 인생의 소중한 가치들은 모두 사람으로부터 나오기 때문입니다.

일로써 자기 가치를 증명한 사람은 일이 끝나면 버려지지만, 마음을 얻은 사람은 결코 배척당하지 않습니다. 그러나 마음을 얻는 것은 그리 쉬운 일은 아닙니다. 덕이 있는 삶을 살아가며, 착한 행실로 사람들을 감동시켜야 하기 때문입니다.

사실 세상이 그리스도인에게 기대하는 것은 고매한 영성이나 심오한 기도의 세계가 아닙니다. 세상 사람들은 그런 것을 보여준다 해도 알지 못할 뿐더러, 별반 관심도 없습니다. 그들은 그리스도인에게서 덕스러운 삶을 보기 원합니다. 착한 헌신으로 자신들을 감동시켜 주기를 바라는 것입니다.

그런데 그런 삶을 살아가며 세상 사람들의 마음을 얻어 예수 그리스도를 전해야 할 존재인 우리가 혈기 하나 제어하지 못한다면 말이 되겠습니까?

소수의 사람들만이 칭찬하는 사람이 되지 말고, 모든 사람이 가까이하고 싶어하는 사람이 되십시오. 만나서 차라도 한 잔 마시고 싶은 사람, 더 많이 알고 싶은 사람, 오래도록 같이 있고 싶은 사람이 되십시오.

우리는 '욱' 하는 혈기를 제어하고, 관대하고 부드러운 사람으로 살아가야 할 이유가 있는 사람들입니다.

⌐▷ to deliver the Truth that christians carry.

## 다툼의 삶을 사는 이유, 이익의 충돌

다툼의 삶을 살게 되는 두 번째 이유는 이익의 충돌 때문입니다. 자신의 이익에 대한 집착이 큰 사람일수록 빈번하게 다툽니다. 자신의 이익과 상대방의 이익이 충돌할 때, 한 치의 양보도 용납할 수 없기 때문입니다.

그러나 다툼으로 지금 당장 한 푼의 이익이라도 더 획득하려 하는 것은 더 큰 이익의 기회를 내던지는 어리석은 태도입니다.

어느 한 회사에서 아프리카로 전략적인 수출을 위해 상사원을 내보냈습니다. 일이 매우 잘되고 있다는 보고를 받고, 고위직 간부가 아프리카로 갔습니다. 그런데 막상 가서 계약서를 살펴보니 자기 회사에만 일방적으로 유리한 조항들이 가득한 계약이었습니다. 아직 그 나라는 경제개발의 허와 실을 꿰뚫어볼 수 있는 경험과 안목이 부족한 터라, 공기업임에도 불구하고 개발 이익이 한 쪽에만 몰리는 편파적인 계약을 맺게된 것입니다.

간부는 환상적인 조건으로 계약을 체결한 주재원들을 칭찬해 주고, 회사에 떨어질 엄청난 이익을 계산하며 고국으로 돌아왔습니다. 그리고 의기양양 회장에게 계약서를 내밀었습니다. "이거 누가 했어?" 간부는 엄청난 칭찬과 포상을 기대하며 주저없이 "예, 제가 아프리카까지 날아가 어렵게 성사시켰습니다." 하고 대답했습니다.

그러나 그에게 날아온 것은 회장의 호통뿐이었습니다. "이것도 계약이라고 했어? 다시 가!" 간부는 이해할 수 없어 되물었습니다. "이 이상 어떻게 더 좋은 조건으로 계약을 할 수 있다는 겁니까?" 그러자 회장은 어이없어하며 대답했습니다. "아프리카 시장이 얼마나 무궁무진한데, 그 넓은 땅에서 장사 한 번 하고 말래? 가서 공정하게 다시 계약하고 돌아와."

비슷한 이야기를 한 청년으로부터도 들었습니다. 그는 사무기기를 파는 일을 하고 있었는데, 중고 사무기기와 교환 판매를 하기도 했습니다.

그런데 자신이 보상 판매로 교환해 줄 수 있는 금액은 정해져 있는데, 너무 좋은 사무기기를 가져 가라고 하는 사람이 있다고 합니다. 대부분 세상 물정을 잘 모르는 분들이라, 그러면 그는 꼭 다른 방법을 가르쳐 준다고 합니다. "선생님! 이것은 너무 좋은 기계입니다. 저한테 헐값으로 파시면 나중에 후회하실 겁니다. 제가 다른 사람을 소개해 드릴 테니 그쪽에 파십시오. 그러면 훨씬 좋은 가격을 받으실 겁니다."

그런데 재미있는 것이 그러면 고마워하는 사람보다 이상하게 쳐다보는 사람이 더 많다고 합니다. 그래도 자신은 언제나 그런 식으로 영업을 했고, 그러다 보니 믿고 소개해 주는 고객이 생겼고, 거래하는 사람들도 모두 친구가 되었다고 합니다. 그는 자신이 지금껏 별다른 위기나 어려움 없이 사업을 해올 수 있었던 것이 그러한 태도 덕분이었다고 말했습니다.

우리의 ~~다툼의~~ 원인은 대부분 ~~작~~은 이익에 너무 예민하기 ~~때문~~입니다. '오늘은 내가 양보를 하자. 그러면 언젠가 그 메아리가 다시 돌아올 것이다.' 생각하면 다툼도 사라집니다. 물론 영영 양보의 메아리가 돌아오지 않을 수도 있습니다. 세상에는 개념 없는 인간도 있기 때문입니다. 그러나 그것이 무서워 아귀다툼하듯 산다면, 우리 역시 똑같이 개념 없는 인간이 될 뿐입니다.

언젠가 중국에서 사업을 하던 장로님으로부터 재미있는 이야기를 들었습니다. 사실 듣는 사람이야 재미있지만, 그 장로님에게는 정말 복장 터지는 기억일 것입니다.

중국에 공장을 세우고, 업자를 불러 형광등 400개를 설치했다고 합니다. 그런데 설치가 끝났다고 해서 가 보니, 형광등은 400개인데 스위치는 한 개 밖에 없더랍니다. 공장과 사무실은 물론이고 화장실까지 한 번에 불을 끄고 켜야 했던 것입니다. 기가 막혀서 항의를 했더니, 돌아오는 대답이 더 놀라웠습니다.

계약서에는 형광등 400개만 명시되어 있지, 스위치 개수는 언급되어 있지 않으니 자기는 책임이 없다는 것입니다. 말이 통하지 않을 사람이라고 판단한 장로님은 그를 돌려보낸 후, 다른 업자를 불러 다시 돈을 지불하고 스위치를 달았다고 합니다.

세상에는 별별 사람이 다 있습니다. 그래서 별별 일이 다 생깁니다. 그런데 그럴 때마다 엉겨 붙어 싸우겠습니까? 다툼은 아무것도 해결해 주지 못합니다. 오히려 문제만 더 복잡하게 만들 뿐입니다.

## 진통제와 보약

조선 초기의 일입니다. 조정에서 제주 목사로 관리를 파송하기만 하면, 부정부패를 일삼아 문제를 일으켰습니다. 당시 제주목은 오늘날의 제주도로, 농사도 특별한 것이 없고 기름진 땅이 많지 않아 목민들의 삶이 척박하기 이를 데 없었습니다.

그런데 제주목은 육지와 멀리 떨어져 있어 중앙부처의 감찰이 쉽지 않았습니다.

그래서 제주 목사로 임명을 받으면 세금을 늑징하거나 뇌물을 받는 등의 부정을 저지르기 일쑤였습니다. 아마도 자신의 이(利)도 챙기고, 상납을 통해 보다 좋은 곳으로의 전출을 도모하고자 하였던 의도였을 것입니다.

이 때에 비교적 청렴하다고 알려진 한 관리가 제주 목사로 파송되었습니다. 그는 전임자들과 달리 부임하자마자 가난한 백성들을 찾아다니며 민원을 해결해 주었고, 억울하고 힘든 처지에 있는 사람들을 가까이하였습니다. 부유한 사람들이 보내 온 부임 선물조차도 거절하였으며, 재임 기간 중 그 어떤 청탁도 받지 않았습니다.

그렇게 공정하게 그 지방을 다스리자 얼마 지나지 않아, 빈부와 귀천에 상관없이 모든 제주 목민들의 존경과 신망을 한 몸에 받게 되었습니다.

그런데 이제 임기가 거의 끝날 때가 되었을 즈음, 갑자기 제주 목사는 두문불출하고 나타나지 않았습니다. 백성들은 걱정하기 시작했고, 제주 목사가 중병에 걸려 누웠다는 소문이 퍼졌습니다. 온 몸에 악창이 났는데 거기에 특효약은 오직 우황을 온 몸에 바르는 것이라는 담당 의원의 소견도 함께 전파되었습니다.

그의 선정에 덕을 입은 많은 백성들은 그가 병상에 누운 것을 안타까워하며, 앞다투어 우황을 모았습니다.

아시다시피 제주는 예부터 우황으로 유명한 고장이었습니다. 우황은 소의 담낭이나 담관에 생긴 결석으로 비싼 값에 거래되는 귀한 약재였습니다.

많은 목민들이 우황이 있어 보이는 소들을 잡기 시작했고, 도축장에 내다 팔기 전 잡은 소의 몸에서 우황을 뒤지기 시작했습니다. 그렇게 많은 우황이 모아졌고, 목사에게 전달되었습니다.

얼마 간의 시간이 지나고, 문병을 온 목민들은 드디어 제주 목사를 볼 수 있었습니다. 목민들 앞에 나온 목사는 온 몸에 누런 우황을 바르고 있었습니다. 제주 목사는 힘겨운 목소리로 감사의 말을 전했습니다. "죽을 수밖에 없는 나를 위해 이렇게 귀한 우황을 보내 주어서 치료받게 해 주니 정말 감사합니다."

얼마 후 제주 목사는 완전히 쾌차하였고 다시 건강한 모습으로 목민들 앞에 나타났습니다. 그리고 며칠 후 그는 임기를 마치고 제주를 떠났습니다. 거부가 되어서 말입니다.

사실 그는 중병에 들린 것도 아니었고, 온 몸에 발랐다고 하는 우황도

치자에 물들인 밀가루였다고 합니다.

*false kindness!*

우리는 이 이야기를 들으면서 결코 이 사람을 칭찬하지 않습니다. 그가 베푼 선정도 결국은 가난한 목민들을 속여 거액의 부를 챙기기 위한 진실함이 결여된 탐심이기 때문입니다. 그러나 우리는 웃으면서 넘길 수 없는 삶의 지혜를 이 이야기 속에서 배우게 됩니다.

사람들은 인간관계를 진통제처럼 이용하려고 합니다. 평소에는 나타나지도 않다가, 어느 날 갑자기 얼굴을 디밀고 아쉬운 소리를 하면서 돈을 빌려 달라거나 보증을 좀 서 달라고 합니다.

우리는 이런 사람들을 보면서 우리가 이용당하고 있다는 느낌을 받습니다. 그래서 좀처럼 그의 부탁을 들어주고 싶은 마음이 생기지 않습니다. 통증이 시작되면 겨우 복용해서 낫고, 낫고 나면 그 약을 어디다 두었는지도 기억하지 못하는 진통제 같은 사람이고 싶은 사람은 아무도 없습니다.

우리의 인간관계는 보약을 복용하는 것과 같아야 합니다. 가을에 먹은 보약은 겨울에 효과를 발휘하기 시작하고, 봄까지 기력을 유지하게 해줍니다. 오늘 보약을 복용했다고 해서 내일 아침에 힘이 나는 것은 아닙니다.

우리의 인간관계도 그렇습니다. 사람을 수단으로 생각하여 사귀지 말라는 칸트의 충고를 굳이 떠올리지 않을지라도, 우리는 그렇게 하는 것이 나쁘다는 것을 선험적인 판단으로도 알고 경험적인 이해로도 압니다.

인간관계의 기술에는 진통제 같은 기술이 있는가 하면, 보약 같은 기술도 있습니다. 아쉬울 때면 찾아와 아양을 떨고, 발등에 떨어진 불을 끄고 나면 연락도 끊어 버리는 것이 진통제 같은 기술입니다. 반면 지금은 공돈을 들이는 것 같아도, 나중에 효과를 보게 되는 보약 같은 기술도 있습니다.

사람들에게 좋은 인상을 남기기 위해서는 당장의 희생을 감수해야 합니다. 하지만 지금은 손해를 보는 것 같아도, 나중에는 깨닫게 됩니다. 그때 남긴 좋은 인상으로 인해, 두고 두고 더 큰 유익을 얻게 된다는 것을 말입니다.

신학을 시작하기 전, 직장을 다니면서 겪은 일입니다.

어느 날 아침, 출근해서 보니 팀장급 두 사람이 싸우고 있었습니다. 무슨 일인가 들어봤더니, 쓰레기통 때문이었습니다. 개인 사무실의 쓰레기통을 문 앞에 그냥 꺼내만 두지 말고 직접 복도 쓰레기통에 가져가 비워 달라고 말을 했다가 언쟁이 커진 것입니다.

결국 그 싸움은 목소리가 더 큰 사람의 승리로 끝났고, 그는 하던 대로 쓰레기통을 방문 앞에만 내다 놓으면 되게 되었습니다. 그 싸움에서 이긴 결과, 그는 쓰레기통을 복도까지 들고나가는 수고를 면할 수 있었습니다.

그러나 그 날 이후, 모든 사람이 '저 쫌생이 너무 싫다!' 라는 생각을 갖게 되었습니다. 그는 어려울 때 자신의 우군이 되어 줄 수도 있었을 많은 사람들을 다 잃어 버리고, 치사하고 얄미운 사람으로 낙인 찍히고 말았습니다.

말 그대로 소탐대실인 것입니다.

↳ *obtain little, lose big.*

## 양보의 덕을 배우라

*slow to anger, fast to give !*
*(yield)*

성경이 우리에게 가르치는 삶의 교훈은 무엇입니까? "미련한 자는 당장 분노를 나타내거니와 슬기로운 자는 수욕을 참느니라"(잠 12:16), "분을 쉽게 내는 자는 다툼을 일으켜도 노하기를 더디 하는 자는 시비를 그치게 하느니라"(잠 15:18), "노하기를 더디 하는 자는 용사보다 낫고 자기의 마음을 다스리는 자는 성을 빼앗는 자보다 나으니라"(잠 16:32).

하나님이 우리에게 기대하시는 삶의 태도는 쉽게 분을 내지 않고, 진리 이외의 것들에 대해서는 아낌없이 양보하는 것입니다.

그렇게 살아가는 것이 어렵게 느껴진다면, 예수 그리스도를 묵상해 보십시오. 제자들의 발을 씻기신 그분의 모습을 그려 보십시오. '너희는 이런 섬김을 나에게서 받은 것을 기억하고, 나의 이 정신을 물려 받아라. 너희는 너희가 받은 섬김을 나에게 갚지 말고 내가 사랑하는 저들에게 갚아라' 하는 예수님의 음성이 들리지 않습니까?

불신자인 가족들 때문에 늘 마음에 부담을 느끼며 살아가는 자신의 교인들에게 로이드-존스(David Martyn Lloyd-Jones) 목사님은 설교 속에서 자주 가르쳤습니다. "믿지 않는 가족들과 평화롭게 지내고 복음을 전하기 위해서는 본질적이지 않은 작은 일들에 있어서 언제나 양보하십시오. 언제나 손해를 보고 희생하십시오. 그것이 불신 가족과 평화를 이루며 복음을 전하는 길입니다."

저는 오랫동안 목회를 하면서 불신 가족들의 구원받지 못한 영혼의 상태를 불쌍히 여기며 많이 기도하는 사람들을 여럿 보았습니다. 그러나 쉽게 전도되지 않는 것도 보았습니다. 어떤 사람들은 가족들의 마음이 완고하고 강퍅하기 때문이라고 판단하지만 제가 보기에는 작은 이익에 집착하는 신자들의 생활의 태도가 불신 가족들의 마음을 더욱 닫게 만들고 있었습니다.

죽고 사는 일이 아닌 작은 일에는 충분히 양보하고, 희생할 수 있어야 합니다. 그렇게 해야지만 우리가 양보하지 않는 것이 정말 양보할 수 없는 가치라고 느껴지지 않겠습니까? 베풀고 나누어 주는 것은 힘든 일이지만 혜택을 받는 모든 사람들은 즐겁고 행복한 일입니다.

살다보면 까다로운 사람도 만나고, 이해하기 힘든 사람도 만납니다. 그러나 여러분도 하나님께 그렇게 까다롭고 이해하기 힘든 사람이었습니다. 그러나 하나님은 그런 여러분을 인내해 주셨고, 다듬어지지 않는 그 부분까지 포용해 주셨습니다.

상대가 어떤 사람인지 따지지 말고, 하나님을 바라보십시오. 그러면 혈기의 문제든, 이익의 문제든 다 극복할 수 있습니다. 우리의 일그러진 관계들 중 상당 부분이 우리가 조금만 더 너그러웠다면 아름답게 이어질 수도 있었을 관계들입니다. 하나님은 우리가 오늘은 내가 양보를 해서 저 사람에게로 흘러가고 내일은 저 사람이 양보를 해서 나에게 흘러

들어오게 하며 살아가기 원하십니다.

『소학』(小學)에 이런 말이 있습니다. "평생 길을 양보해야 백 보에 지나지 않을 것이며, 평생 밭두렁을 양보해도 한 마지기를 넘지 않을 것이다." 우리가 평생 양보하며 살아간다 해도, 정작 나누어 줄 수 있는 것은 그리 많지 않습니다.

양보할 수 있는 기회가 왔을 때, 기꺼이 양보하십시오. 기꺼이 베푸십시오. 양보는 하나님의 사랑을 소유한 사람의 아름다운 의무입니다.

제5장

# 약점을 들춤,
# 관계의 위기

"허물을 덮어 주는 자는 사랑을 구하는 자요
그것을 거듭 말하는 자는 친한 벗을 이간하는 자니라"

잠 17:9

역린지화(逆鱗之禍)라는 말을 아십니까? 이것은 '용이란 동물은 본성이 착해 잘 길들이기만 하면 그 등을 타고 다닐 수 있을 정도로 온순하지만, 목 부근의 거꾸로 자란 한 자 길이의 비늘을 건드리면 반드시 그 사람을 죽여 버린다.' 라는 내용의 고사에서 유래된 말입니다.

중국의 춘추전국시대, 한비(韓非)라는 유세객이 있었습니다. 유세객이란 전국을 떠돌아다니며 군주를 만나 자신의 정치적 비전을 소개하고, 그 뜻을 펼칠 자리를 얻고자 하는 사람입니다. 그런데 군주를 설득하기란 정말 어려운 일이어서, 때때로 군주의 심기를 잘못 건드리면 원하던 벼슬은커녕 목숨까지 내어놓는 경우가 생겼습니다.

그래서 한비는 『세난』(說難)편에 이르기를 용에게 건드려서는 안 될 비늘이 있듯이 군주에게도 건드려서는 안 될 '역린'이 있다고 경고했습니다.

비단 군주만이 아니라, 사람이라면 누구나 역린을 가지고 있습니다. 누구나 무엇인가 콤플렉스를 갖고 살아가는 것입니다. 어떤 사람에게는 학벌이, 어떤 사람에게는 외모가, 어떤 사람에게는 자식이 역린입니다.


## 역린과 순린

여러분의 역린은 무엇입니까? 그것은 타고 난 것일 수도 있고, 살아가다 생긴 것일 수도 있습니다.

중고등학교 시절, 제가 다니던 학교에 아이스하키 팀이 있었습니다. 봄 되면 동대문에 있는 스케이트장에 전교생이 다 가서 목이 터져라 응원을 했습니다. 하얀 유니폼에 긴 스틱을 들고 스케이트를 타는 선수들의 모습이 얼마나 멋있던지, 몇 번이고 스케이트를 배우려고 애썼습니다.

그런데 제가 그리 운동신경이 없는 편이 아닌데, 유독 스케이트만은 잘 익혀지지 않았습니다. 스케이트를 두 개 이상 샀는데, 모두 날이 아니라 신발의 옆 부분이 닳아서 버렸습니다. 스케이트를 타면 제대로 서지를 못하고 발이 자꾸 옆으로 쓰러져 버렸던 것입니다.

몇 년을 스케이트와 씨름을 하다 결국 포기했습니다. 그런데 당시에는 '스케이트' 라는 말만 들어도 속이 울렁거렸습니다. 그때 만약 누가 저에게 스케이트를 못 탄다고 놀렸다면, 분이 치밀어 덤벼들었을 것입니다. 노력해도 안 되자, 그것이 제게 역린이 되고 만 것입니다.

정도의 차이가 있을 뿐, 누구나 역린을 가지고 있습니다. 인간관계가 진전되다 보면, 어렵지 않게 그 사람의 역린이 무엇인지 짐작하게 됩니다. 키가 작은 것, 눈이 작은 것, 혼기가 지났는데도 아직 결혼을 못하고 있는 것, 공부를 많이 못한 것, 노래를 못하는 것, 모든 것이 누군가의 역린이 될 수 있습니다.

그런데 사람에게는 역린뿐 아니라 순린도 있습니다. 은근히 사람들이 건드려 주기 원하는 부분도 있는 것입니다. 그러나 사람들은 이상하게도 순린보다는 역린을 건드리고 싶어합니다. 부정적인 것에 더 예민한 것이 사람의 심리이기 때문입니다.

어떤 조사에 따르면 맛있는 음식점에 대한 정보는 6개월 동안 6명에게 전달되지만, 맛없는 음식점에 대한 정보는 같은 기간에 26명에게 전달된다고 합니다. 좋은 인상보다는 나쁜 인상이 사람들의 입에 더 자주 오르내리는 것입니다.

사람들은 타인에 대해 이야기할 때에도 장점보다는 단점을 말하기 좋아합니다. 특별히 누군가의 역린을 화제에 올리며 쾌감을 느낍니다. 좌중 역시 그런 이야기를 재미있어 합니다. 예를 들어 어떤 모임에 탈모가 많이 진행된 남성이 있다고 칩시다. 그러면 누군가는 꼭 이런 말을 합니다. "어휴, 이제 곧 앞 동네 뒷동네 만나겠네."

자신은 농담이라고 생각하고 던진 말인데, 듣는 사람에게는 비수가 되어 박히는 경우가 얼마나 많은지 아십니까? 겉으로 태연하게 웃어 넘긴다고 해서, '이 정도 말은 괜찮구나.' 생각해서는 안 됩니다.

사람에게 점수를 따는 데는 많은 시간과 노력이 필요하지만, 잃는 것은 한 순간입니다. 그래서 인간관계에 있어서는 점수를 따는 것보다 점수를 잃지 않는 것이 훨씬 더 중요합니다.

인간관계가 좋은 사람들, 어디를 가든 호감을 사는 사람들의 이야기에는 공통점이 있습니다. 바로 상대방에 대해서는 장점을 많이 이야기하고, 자기에 관해서는 약점을 주로 이야기한다는 것입니다.


## 마음의 기울기

사람이 다른 사람을 판단할 때 두 가지 잣대가 작용합니다. 바로 지성의 작용인 인식과 정서의 작용인 마음의 기울기입니다. 마음의 기울기란 마음이 좋아하는 감정으로 치우치는가, 싫어하는 감정으로 치우치는가를 의미하는데, 객관적으로 인식된 정보는 마음의 기울기에 따라 주관적으로 해석됩니다.

예를 들어 말이 많은 사람을 만났습니다. 마음의 기울기가 좋아하는 쪽에 있으면 발랄하다고 평가하게 되고, 싫어하는 쪽에 있으면 수다스럽다고 평가합니다. 무엇이든 저지르고 보는 사람이라면, 마음의 기울기에 따라 도전 정신이 있는 사람으로 해석될 수도 있고, 무모한 사람으로 해석될 수도 있습니다. 똑같은 정보라도, 마음의 기울기에 따라 판단이 달라집니다.

여기서 우리는 중요한 교훈 한 가지를 얻게 됩니다. 인간관계에 있어서 '내가 누구인가?' 하는 문제보다 더 중요한 것이 '저 사람이 나를 좋아하는가, 싫어하는가?' 라는 것입니다. 그러므로 좋은 인상을 남기려고 애쓰는 것에 몇 배로 나쁜 인상을 심어 주지 않기 위해 노력해야 합니다. 나쁜 인상은 바로 싫어하는 감정을 불러오기 때문입니다.

그런데 사람들에게 나쁜 인상을 심지 않기 위해 반드시 주의해야 하는 일이 역린을 건드리는 일이라는 것은 역으로, 호감을 사기 위해서는 역린을 감싸 주면 된다는 의미도 됩니다. 자신의 역린을 건드리는 사람에게 호감을 느끼는 사람은 없듯, 자신의 역린을 감싸 주고 옹호해 주는 사람에게 반감을 느끼는 사람도 없습니다.

중국 위나라에 오기(吳起)라는 장군이 있었습니다. 어느 날 오기 장군은 다리에 생긴 종기 때문에 고통스러워하는 병사를 발견하고 그의 다리에 입을 대고 고름을 빨았습니다.

그런데 이 소식을 듣고 그 병사의 어머니가 땅을 치며 통곡을 했습니다. 의아하게 여긴 사람들이 어머니에게 물었습니다. "오기 장군은 병사한 명 한 명을 제 목숨처럼 아끼시는 분이오. 다른 사람들은 쳐다보려고도 않는 고름을 직접 빨아 주셨는데, 감사는 못할망정 왜 대성통곡을 하는 게요?"

그러자 병사의 어머니가 대답했습니다. "작년에 오기 장군님은 우리 남편의 다리 고름을 빨아 주셨지요. 감동한 애 아버지는 장군의 은혜에 보답하고자 자기 목숨을 돌보지 않고 싸우다 전사했답니다. 그런데 이

번에는 아들의 고름을 빨아 주셨다니, 그 애도 언제 죽을지 몰라 이렇게 울고 있어요."

오기 장군은 76번의 싸움에서 12번 비기고 64번 승리를 거두는 놀라운 전적을 남겼습니다. 그리고 이것은 모두 그의 뛰어난 전략, 전술과 더불어, 그를 위해서라면 목숨도 아끼지 않는 부하들이 있었기에 가능한 일이었습니다.


## 예수님의 대화법

아픈 곳을 찌르는 말을 유난히 잘하는 사람이 있습니다. 미리 연구하고 준비한 것처럼, 상대방의 약점을 적나라하게 들춰 냅니다. 물론 때로는 그런 말들이 마음을 후련하게 하기도 하고 묘한 짜릿함과 쾌감을 선사하기도 합니다. 그러나 여러분이 그의 공격 대상이 되면 어떨까요? 그때에도 그 사람의 말이 재기발랄한 농담으로 여겨질까요?

말 한 마디의 위력을 얕보지 마십시오. 말 한 마디가 사람을 살리기도 하고 죽이기도 합니다. 말 한 마디로 한 사람을 완전히 사로잡을 수도 있고, 영영 잃어버릴 수도 있습니다.

예수님은 말의 위력과 약점을 건드리면 반발하는 인간의 성향을 잘 알고 계셨습니다. 바울을 회심시킬 때, 예수님이 어떻게 말씀하셨는지 보십시오.

사울이 어떤 사람이었습니까? 스데반을 죽일 때, 가편 투표의 증인이 되어 옷을 지켰던 사람입니다. 있는 그대로 말하면, 손에 피를 묻힌 사람입니다. 더구나 다메섹으로 가고 있는 이유는 무엇이었습니까? 그는 대제사장으로부터 예수 그리스도를 믿는 사람들을 압송할 권한을 위임받고 그들을 박해할 목적으로 다메섹으로 향하고 있었습니다.

그러나 살기등등한 그를 무너지게 한 것은 예수 그리스도의 질책과 호통이 아니었습니다. "사울이 주의 제자들에 대하여 여전히 위협과 살기가 등등하여 대제사장에게 가서 다메섹 여러 회당에 가져갈 공문을 청하니 이는 만일 그 도를 따르는 사람을 만나면 남녀를 막론하고 결박하여 예루살렘으로 잡아오려 함이라 사울이 길을 가다가 다메섹에 가까이 이르더니 홀연히 하늘로부터 빛이 그를 둘러 비추는지라 땅에 엎드러져 들으매 소리가 있어 이르시되 사울아 사울아 네가 어찌하여 나를 박해하느냐 하시거늘 대답하되 주여 누구시니이까 이르시되 나는 네가 박해하는 예수라"(행 9:1-5).

베드로에게는 어떠하셨습니까? 요한복음 21장에서 낙심한 베드로를 다시 세우시는 예수님을 보십시오.

예수님은 베드로의 잘못을 들추지 않으셨습니다. 예수님을 3번 부인한 것도, 저주를 퍼 부은 것도 전혀 입에 올리지 않으셨습니다. 그저 불러서 아침을 먹이고, 부드럽게 물으셨을 뿐입니다. "그들이 조반 먹은 후에 예수께서 시몬 베드로에게 이르시되 요한의 아들 시몬아 네가 이 사람들보다 나를 더 사랑하느냐 하시니 이르되 주님 그러하나이다 내가 주님을 사랑하는 줄 주님께서 아시나이다 이르시되 내 어린 양을 먹이라 하시고"(요 21:15).

잘못이 무엇인지 날카롭게 지적하며 힐난하지 않으셨음에도 불구하고, 예수님 앞에서 그들은 무너졌습니다. 그 동안의 잘못을 뉘우치고, 새로운 존재로 변화되었습니다. 그리고 목숨을 버리기까지 예수님을 사랑했습니다.

그런데 예수님의 이러한 태도는 사실 하나님의 성품입니다.

아담은 선악과를 따 먹은 후, 하나님을 피하여 숨습니다. 그런 아담을 하나님은 직접 부르시며 찾으십니다. "그들이 그 날 바람이 불 때 동산에 거니시는 여호와 하나님의 소리를 듣고 아담과 그의 아내가 여호와 하나님의 낯을 피하여 동산 나무 사이에 숨은지라 여호와 하나님이 아담을 부르시며 그에게 이르시되 네가 어디 있느냐"(창 3:8-9).

히브리어 원문으로 보면 "네가 어디 있느냐."는 이 물음이 아주 부드러운 표현임을 알게 됩니다. 하나님이 아담이 무슨 일을 저질렀는지 아직 모르고 계셔서 이렇게 부드럽게 부르고 계실까요? 전능하신 하나님이 아담이 어디 있는지 찾을 수 없어서 이렇게 부르시는 것일까요?

하나님의 아름다운 피조세계 전체를 파괴하는 끔찍한 범죄를 저지른 아담을 하나님은 사랑하는 음성으로 불러 주셨습니다. 땅을 가르고 불비를 내리며 화를 내셔도 아무도 심하다 할 수 없었을 그 순간에, 하나님은 죄를 짓고 숨은 아담의 마음을 배려하셨습니다.

사랑하는 여러분, 이것이 하나님의 성품입니다. 우리를 다루실 때, 하나님이 단 한 번이라도 우리의 약점을 쥐고 흔드신 적이 있습니까? 우리의 잘못을 지적하며, 고압적으로 고치라고 명령하신 적이 있습니까? 하나님도 하잘 것 없는 존재인 우리를 이렇게 배려해 주시는데, 우리가 어떻게 하나님의 귀한 피조물인 다른 사람의 약점을 함부로 건드릴 수 있겠습니까?

## 허물을 덮어 주는 자

누군가에게 어떤 콤플렉스가 있다고 할 때, 그것이 우리에게 피해를 주는 경우는 거의 없습니다. 또한 그것을 건드린다고 우리에게 특별한 이익이 돌아오는 것도 아닙니다. 그런데도 남의 콤플렉스를 건드리지 못해 안달하는 사람이 있습니다. 이것은 개인의 성격이나 취향의 문제가 아니라, '나쁜 짓'입니다. 상대방에게만 나쁜 게 아니라, 자기 자신에게 더 나쁜 행동인 것입니다.

노래 못하는 사람에게 억지로 노래시키고, 깔깔 대고 웃어 본 적 없습니까? 별 것 아닌 것 같은 이러한 행동이 사람들과의 관계를 파괴하는 악임을 명심하십시오. 다른 사람의 약점을 놀림거리나 웃음거리로 삼아서는 안 됩니다. 특히 예수님의 사랑을 안 사람들은 결코 그래서는 안 됩니다. 이것은 삶의 지혜일 뿐 아니라 그리스도의 사랑을 입은 자의 의무입니다.

물론 때로 적절한 지적과 충고가 필요하기도 합니다. 그러나 상대가 꽁꽁 싸매 두려 하는 약점을 억지로 들추어 내는 것은 옳지 못합니다.

이것은 결코 선한 결과를 가져오지 않습니다. 스스로 감춰 두려 한다는 것은, 스스로도 그것을 문제로 인식하고 있다는 것입니다. 굳이 들추지 않아도 알고 있는 것입니다.

그러므로 무엇인가 타인의 약점이 보인다면, 그것을 감싸 주고 감추어 주십시오. 당장은 누군가를 골려 주는 재미를 놓치겠지만, 그 대신 여러분은 그 사람의 마음을 얻게 될 것입니다.

언젠가 어느 큰 기업의 인사 담당자와 이야기를 나누게 되었는데, 그가 이런 말을 했습니다. "목사님, 기업의 목표가 이윤 창출이기는 하지만 실제로 큰 기업의 임원들도 보면, 좋은 성과를 내는 사람보다 같이 있으면 좋은 사람과 더 함께 일하려고 합니다."

여러분은 어떻습니까? 여러분이 어떤 회사를 경영하고 있다고 가정합시다. 유능하기는 한데 여러분의 약점을 자꾸 건드려서 불편하게 만드는 사람과 능력은 조금 떨어지지만 여러분을 너무 좋아하고 존경하는 사람이 있습니다. 이 둘 중에 한 사람만 택하라면 누구를 고르겠습니까?

### 예수님처럼

복음서에서 죄인들을 만나시고 그들을 용서하시는 예수님의 모습은 우리에게 커다란 감화를 줍니다. 예수님은 많은 죄인들을 부르셨습니다. 세리와 창기와 또 그 이외의 많은 죄인들을 만나시고 그들을 회개하게 하셨습니다.

그러나 예수님은 자기에게 나아오는 이 죄인들의 지나간 죄를 지적하심으로 그들을 불러 구원하신 것이 아니라 그들과 함께 먹고 마심으로써 회개하게 하셨습니다.

"예수께서 마태의 집에서 앉아 음식을 잡수실 때에 많은 세리와 죄인들이 와서 예수와 그 제자들과 함께 앉았더니 바리새인들이 보고 그의 제자들에게 이르되 어찌하여 너희 선생은 세리와 죄인들과 함께 잡수시느냐 예수께서 들으시고 이르시되 건강한 자에게는 의사가 쓸 데 없고 병든 자에게라야 쓸 데 있느니라 너희는 가서 내가 긍휼을 원하고 제사를 원하지 아니하노라 하신 뜻이 무엇인지 배우라 나는 의인을 부르러 온 것이 아니요 죄인을 부르러 왔노라 하시니라"(마 9:10-13).

"예수께서 여리고로 들어가 지나가시더라 삭개오라 이름하는 자가 있으니 세리장이요 또한 부자라 그가 예수께서 어떠한 사람인가 하여 보고자 하되 키가 작고 사람이 많아 할 수 없어 앞으로 달려가서 보기 위하여 돌무화과나무에 올라가니 이는 예수께서 그리로 지나가시게 됨이러라 예수께서 그곳에 이르사 쳐다 보시고 이르시되 삭개오야 속히 내려오라 내가 오늘 네 집에 유하여야 하겠다 하시니 급히 내려와 즐거워하며 영접하거늘 뭇 사람이 보고 수군거려 이르되 저가 죄인의 집에 유하러 들어갔도다 하더라 삭개오가 서서 주께 여짜오되 주여 보시옵소서 내 소유의 절반을 가난한 자들에게 주겠사오며 만일 누구의 것을 속여 빼앗은 일이 있으면 네 갑절이나 갚겠나이다 예수께서 이르시되 오늘 구원이 이 집에 이르렀으니 이 사람도 아브라함의 자손임이로다 인자가 온 것은 잃어버린 자를 찾아 구원하려 함이니라"(눅 19:1-10).

그러나 사마리아 여인의 경우에는 특별합니다. 예수님은 5번이나 결혼을 하고도 지금도 남편이 아닌 자와 함께 살아가고 있었던 이 부정한 여인의 역린을 건드리셨습니다.

"가서 네 남편을 불러 오라"(요 4:16), "너에게 남편 다섯이 있었고 지금 있는 자도 네 남편이 아니니 네 말이 참되도다"(요 4:18). 이것은 바로 사마리아 여인이 낮에 물을 길러 올 수밖에 없었던, 다른 사람들에 의해 건드려지기를 거부하던 역린이었습니다.

그러나 우리가 다른 사람의 역린을 건드리는 것과 예수님이 그렇게 하시는 것은 달랐습니다. 우리는 다른 사람들의 약점을 공개하고 화제를 삼는 것에서 만족을 느끼고자 그리하지만, 예수님은 그 역린을 건드림으로 그에게 더 좋은 것을 주시고자 하십니다.

사마리아 여인을 생각해 보십시오. 자신의 마음을 꼭 닫고 살아가던 이 여인의 역린을 건드리지 아니하셨다면, 그는 결코 자신의 잘못을 뉘우치지 않았을 것입니다. 이것이 바로 예수님이 역린을 건드리셨던 이유였습니다.

오히려 예수님은 더 많은 경우에 허물을 덮는 사랑으로 그들을 품으심으로 당신의 거룩한 인격과 정직한 가르침을 통해 사람들이 자신들의 죄를 깨닫도록 만들어 주셨습니다. 바리새인과 서기관들은 자신들도 지키지 않는 율법을 냉혹하게 가르침으로 백성들의 마음에서 멀어졌지만, 예수님은 죄인들과 함께 먹고 마심으로써 친구가 되어 주셔서 율법보다 더 큰 하나님의 사랑을 깨닫게 하시고 율법의 정신으로 돌아가 살도록 하신 것입니다.

## 사랑으로 다른 사람의 약점을 덮어라

남의 말을 쉽게 하는 것도 어떻게 보면 버릇입니다. 버릇이 지속되면 인격이 됩니다. 남의 허물을 거듭 말하면서 이간하는 버릇이 여러분의 인격적인 특성으로 굳어지지 않도록 '남의 말'을 근절하십시오.

성경은 말합니다. "무엇보다도 뜨겁게 서로 사랑할지니 사랑은 허다한 죄를 덮느니라"(벧전 4:8). 사랑받고 싶은 만큼, 용납받고 싶은 만큼 다른 사람을 사랑하고 그의 죄를 덮어 줍시다. 자신도 감추고 싶은 콤플렉스가 있듯이 남들도 그렇다는 상식적인 사실을 늘 기억합시다.

남의 약점을 화제 거리로 삼아 깔깔 댈 수 있는 것은 사랑이 없기 때문입니다. 혹시라도 역린을 건드려 상처 준 사람이 있다면, 지금이라도 당장 사과하십시오. "당신은 평생을 그것을 끌어안고 아파하는데, 나는 장난삼아 그것을 건드리며 즐거워했습니다. 나를 용서해 주십시오."

내가 생각하기에는 대수롭지 않은 문제라도, 상대에게는 치명적인 문제일 수 있습니다. 그러므로 자신의 주관으로 판단하지 말고, 상대의 마음을 헤아려 처신해야 합니다.

이 땅은 아픈 죄인들이 사는 나라입니다. 그리고 우리는 그런 아픈 죄인들을 안타깝게 바라보시는 하나님의 마음을 품고 살아가야 하는 존재들입니다.

누군가의 약점이 눈에 보입니까? 그가 들키지 않으려 애쓰면 애쓸수록 그의 역린이 더 분명하게 드러나 자꾸 건드리고 싶어집니까?

사랑으로 그것을 덮어 주십시오. 다른 사람들에게 드러나지 않도록 감싸 주십시오.

예수님이 그 자리에 계셨다면, 분명 그렇게 하셨을 것입니다. 사랑으로 감싸, 그의 약점을 고치고, 그를 새롭게 하셨을 것입니다. 우리에게 다가오실 때 그렇게 하셨던 것처럼······.

**제6장**

# 용서, 사람을 얻는 기술

"서로 친절하게 하며 불쌍히 여기며 서로 용서하기를
하나님이 그리스도 안에서 너희를 용서하심과 같이 하라"

엡 4:32

유향(劉向)이 지은 『설원』(說苑)의 『복은』(復恩)편과 풍몽룡(馮夢龍)의 『동주열국지』(東周列國志)에는 다음과 같은 고사가 나옵니다.

춘추시대 초나라 장왕(莊王)이 성대하게 연회를 베풀었습니다. 밤이 깊어 연회의 흥취가 무르익을 즈음이었습니다. 왕은 특별히 총애하는 허희(許姬)라는 여인에게 참석한 신하들에게 술 한 잔씩을 따르라고 지시했습니다. 신하들을 위로하기 위해 특별한 호의를 베푼 것이었습니다.

한참 허희가 술을 부어 가고 있을 때였습니다. 갑자기 광풍이 불어 촛불이 모조리 꺼져 버렸습니다. 깊은 밤이었던 터라 연회석은 지척을 분간할 수 없는 어둠에 휩싸여 버렸습니다.

바로 그때였습니다. 누군가 허희의 허리를 감아 안았고, 허희는 순간적으로 그 사람의 갓 끈을 끊어 쥐었습니다. 허희는 급히 몸을 빼고 어둠 속에서 왕을 찾아 달려갔습니다. 그리고 갓 끈을 전하며 어둠 속에서 무슨 일이 있었는지 말했습니다. 시종들은 불을 켜려 했고, 신하들은 누가 감히 왕의 여인을 끌어안았는지 오늘 초상을 치르겠구나 하고 생각했습니다.

그러나 장왕은 시종들에게 불을 켜지 못하게 한 후 이렇게 말했습니다. "오늘은 군신 간의 허물없는 즐거움을 위하여 마련한 자리니, 경들은 지금부터 거추장스러운 갓 끈을 모조리 끊어 팽개치시오."

3년이 흐른 후, 당시 최강을 자랑하던 진나라와 초나라 사이에 전쟁이 일어났습니다. 그때 한 장수가 목숨을 돌보지 않고 적군에게 포위된 장왕을 지켜냈고, 선봉에 나서 싸워 예기치 못한 전과를 올렸습니다. 장왕은 큰 상을 내려 그를 치하하려 했는데, 그 장수는 한사코 그것을 거부했습니다.

그리고 이렇게 말했습니다. "저는 이미 폐하로부터 한없는 은혜를 입었습니다. 폐하를 위해서라면 목숨도 아깝지 않은데, 겨우 이 정도 공으로 상이라니요. 제가 바로 3년전 연회석상에서 허희의 허리를 안은 사람입니다."

용서는 사람을 얻는 최고의 방법입니다. 비슷한 이야기가 영국 역사에도 있습니다. 영국의 유명한 장군 웰링턴(Arthur Wellesley, 1st Duke of Wellington) 제독에게 상습적으로 탈영을 감행하는 부하가 있었습니다. 교육도 시켜 보았고, 채찍을 들어 때려도 보았고, 무서운 벌을 주어도 보았으나 그는 달라지지 않았습니다. 결국 웰링턴 제독은 군대 전체의 기강을 위해 그를 사형시키기로 결심했습니다.

그런데 그때 그의 부관 한 사람이 말했습니다. "각하! 각하께서는 아직 그 병사에게 한 가지 시도는 해보지 않으셨습니다. 각하는 그를 용서해 보신 적이 없습니다."

웰링턴 제독은 부관의 충고대로 그 병사를 아무 조건 없이 용서해 주었고, 이후 그 병사는 다시는 탈영을 하지 않았을 뿐 아니라 웰링턴의 충성스러운 부하가 되었습니다.

용서가 가져온 놀라운 기적이었습니다.

## 영혼의 자선, 용서

사람은 누구나 허물이 있습니다. 사람이라면 누구나 실수와 잘못을 저지를 수 있는 것입니다. 그러므로 용서는 누구에게나 필요합니다. 우리는 모두 용서를 베풀기도 하고, 받기도 하며 살아가야 하는 것입니다.

인생을 살다 보면, 절박하게 남의 도움이 필요한 시기가 있습니다. 그리고 그때 받은 도움은 평상시에 받은 도움보다 특별히 더 고맙고 오래도록 기억에 남는 법입니다.

제게도 그런 기억이 있습니다. 1986년 첫아들을 낳았는데, 그때 저는 신학대학원 2학년이었습니다. 전도사 사역을 하며 사례비로 20만 원 가량을 받았는데, 아내가 아끼고 아껴 출산 비용으로 90만 원을 마련해 두었습니다.

그런데 의료보험이 안 되는 상태에서 제왕절개 수술을 받아 그 돈이 모두 병원비로 들어갈 형편이었습니다. 어떻게든 자연분만을 하려고 12시간 넘게 진통을 했는데, 결국 산모와 아기가 위험할 수 있다고 해서 어쩔 수 없이 수술을 하게 된 것입니다.

퇴원 이후의 일들을 생각하니, 정말로 앞이 막막했습니다. 아내의 산후 조리는 고사하고 아이의 분유조차 살 형편이 안 되었습니다. 귀한 아들을 얻고도 경제적인 문제에 대한 근심을 지울 수 없어, 마음이 무겁기만 했습니다.

그런데 그때 제가 사역을 하고 있던 교회의 집사님이 과일과 맛있는 반찬을 몇 가지 마련하여 병원에 찾아오셨습니다. 그리고는 가시면서 봉투 하나를 주셨는데 열어 보니 4만 원이 들어 있었습니다. 당시에는 정말 큰 돈이었습니다. 가장 힘들 때 받은 너무나 요긴한 도움이라 지금도 저는 그 일이 잊혀지지 않습니다.

십여 년 전 예전의 교회를 방문할 일이 있었는데, 그 집사님의 근황을 물어보니 다행히 계속 그곳에 계셨습니다. 그래서 과일을 듬뿍 사 들고 찾아갔습니다.

그때 정말 감사했다고 말씀드렸더니, 그 집사님은 그 일을 기억조차 못하고 계셨습니다. 그 집사님에게는 기억 저편으로 지워진 일이지만, 저는 마치 어제 일처럼 생생하게 기억합니다. 아마 평생 그때 느꼈던 그 고마움을 잊을 수 없을 것입니다.

필요한 때에 전해진 따뜻한 도움은 이렇게 상대방에게 영원토록 기억

됩니다. 그런데 구제가 육체의 자선이라면, 용서는 영혼의 자선입니다. 우리의 영혼이 다른 영혼을 위해 베푸는 아름다운 나눔이 용서인 것입니다.

육체에 베풀어진 자선도 평생을 잊을 수 없는데, 하물며 나의 엄청난 잘못을 용서해 줌으로써 나의 영혼을 가책과 고통으로부터 자유롭게 해 준 사람을 어떻게 잊을 수 있겠습니까?

그러므로 누군가 우리에게 잘못했을 때, 분노하며 그의 잘못을 비난하는 것은 당장의 화만 달랠 뿐입니다. 그를 진심으로 용서해 주면 그는 영원히 우리의 우군이 되어 줄 것입니다. 소인배는 타인의 잘못으로 일을 그르쳤을 때, 그 일을 망친 요인을 제공한 사람을 추적해서 그를 내치지만, 대인배는 그 사람을 용서해 줌으로써 사람 하나를 얻어 냅니다.

## 용서, 그리스도인의 삶의 도리

그런데 문제는 용서가 쉽지 않다는 데 있습니다. 용서는 인간관계의 최상의 기술이며, 사람을 얻는 놀라운 지혜이지만 뼈를 깎는 아픔을 수반합니다. 나에게 고통을 주고, 사무치는 원한을 남겨 준 사람과 다시 손을 잡는 일이 어찌 아프지 않겠습니까? 그래서 많은 사람들이 용서를 실천하지 못합니다.

그러나 용서는 그리스도인에게 선택의 문제가 아니라 의무입니다. 예수님은 죄를 범한 형제를 몇 번까지 용서해 주어야 하는지 묻는 베드로에게 이렇게 말씀하셨습니다. "일곱 번뿐 아니라 일곱 번을 일흔 번까지라도 할지니라"(마 18:22).

여기까지만 보면, 정말 부당한 명령 같습니다. 용서를 필요로 한다는 것은 나에게 명백한 잘못을 저질렀다는 이야기인데, 그것을 한두 번도 아니고 끝없이 용서하라니요. 이게 말이나 되는 일입니까?

왜 우리가 부당한 대우를 참아 내야 합니까? 아니 참아 낼 뿐 아니라, 부당하게 수모를 주는 사람을 긍휼히 여기며 감싸 주어야 합니까? 그것도 끝없이 말입니다.

예수님은 이러한 항변을 예상이라도 하신 듯, 말씀을 이어 나가십니다. 그리하여 등장하는 것이 바로 이 비유입니다.

"그러므로 천국은 그 종들과 결산하려 하던 어떤 임금과 같으니 결산할 때에 만 달란트 빚진 자 하나를 데려오매 갚을 것이 없는지라 주인이 명하여 그 몸과 아내와 자식들과 모든 소유를 다 팔아 갚게 하라 하니 그 종이 엎드려 절하며 이르되 내게 참으소서 다 갚으리이다 하거늘 그 종의 주인이 불쌍히 여겨 놓아 보내며 그 빚을 탕감하여 주었더니 그 종이 나가서 자기에게 백 데나리온 빚진 동료 한 사람을 만나 붙들어 목을 잡고 이르되 빚을 갚으라 하매 그 동료가 엎드려 간구하여 이르되 나에게 참아 주소서 갚으리이다 하되 허락하지 아니하고 이에 가서 그가 빚을 갚도록 옥에 가두거늘 그 동료들이 그것을 보고 몹시 딱하게 여겨 주인에게 가서 그 일을 다 알리니 이에 주인이 그를 불러다가 말하되 악한 종아 네가 빌기에 내가 네 빚을 전부 탕감하여 주었거늘 내가 너를 불쌍히 여김과 같이 너도 네 동료를 불쌍히 여김이 마땅하지 아니하냐 하고 주인이 노하여 그 빚을 다 갚도록 그를 옥졸들에게 넘기니라 너희가 각각 마음으로부터 형제를 용서하지 아니하면 나의 하늘 아버지께서도 너희에게 이와 같이 하시리라"(마 18:23-35).

무슨 말입니까? 우리에게 용서를 베풀라고 하시는 것은, 우리가 하나님의 용서를 받은 존재이기 때문이라는 것입니다.

죄뿐이던 우리를, 하나님은 용서해 주셨습니다. 하나님께 씻을 수 없는 죄를 지었지만, 그분은 우리를 불쌍히 여겨 주셨습니다. 그래서 사망 가운데 웅크리고 앉아 비참한 나날을 보내던 우리를 아무 대가없이 구원해 주셨습니다. 사랑하는 독생자 예수 그리스도를 십자가에 찢으시면서까지 말입니다.

우리가 받은 용서에 비하면, 우리가 베풀어야 할 용서는 너무나 사소합니다. 그러므로 용서가 어려운 것은 우리의 시선이 우리의 상처와 그 상처를 남긴 사람만을 주목하고 있기 때문입니다. 우리의 시선이 우리를 용서해 주신 하나님을 주목하고 있다면, 우리의 마음에 우리가 받은 사랑을 간직하고 있다면, 일곱 번이 아니라 일흔 번씩 일곱 번이라도 용서할 수 있습니다.

예수님의 비유는 종의 빚을 탕감하였던 것을 취소하고 그를 다시 옥에 넣는 것으로 끝납니다. 그리고 용서하지 못하는 사람들을 향해 준엄하게 경고하십니다. "너희가 각각 마음으로부터 형제를 용서하지 아니하면 나의 하늘 아버지께서도 너희에게 이와 같이 하시리라." 이것은 용서하지 않으면, 구원을 취소하겠다는 말씀이 아닙니다. 구원은 취소될 수도 없고, 취소되지도 않습니다.

이것은 용서할 수 없다면, 스스로 자신의 거듭남을 의심해 보라는 말씀으로 해석하는 것이 옳습니다. 하나님의 용서를 누리고 있는 사람이라도, 용서는 아프고 힘이 듭니다. 그러나 그는 말할 것입니다. 용서하지 않고 미움을 간직하고 사는 것이 더 아프고 힘겨운 일이라고……

## 용서로 맺어지는 돈독한 결합

용서는 허물을 눈 감아 주는 것이 아니라 그 허물에도 불구하고 그와의 관계를 포기하지 않는 것입니다. 이것이 하나님이 우리에게 베푸신 용서이며, 지금도 변함없이 베풀어지고 있는 용서의 정체입니다.

그러므로 우리가 베풀어야 할 용서도 관계의 회복을 포함합니다. 복수의 포기에서 멈추는 것은 진정한 의미의 용서가 아닙니다. 용서가 사람을 얻는 지혜인 것은 그것이 깨어질 관계를 다시 회복시키는 태도이기 때문입니다.

관계가 깨질 수밖에 없는 위기에서 그를 용서하고 관계를 계속해 보십시오. 오히려 그 위기를 이겨 냈기 때문에 관계가 더욱 견고해집니다. 용서를 주고받으며, 두 사람 사이에 공고한 정신적인 결합이 이루어지는 것입니다.

돌아가신 제 아버지는 비만 오면 다리 통증으로 고생을 하셨습니다. 6.25 때 다리에 총알이 박혀, 뼈를 다치셨기 때문이었습니다. 다행히 뛰어난 수술 실력을 갖춘 군의관을 만나 다리를 자르지 않고 수술로 으스러진 뼈를 연결할 수 있었다고 합니다.

어릴 적, 아버지는 저를 앉혀 두고 그때의 일을 실감나게 들려주시곤 했는데, 그 이야기를 들을 때마다 저는 아버지의 다리가 다시 부러지면 어쩌나 걱정을 했습니다. 그래서 한번은 "아버지, 뛰거나 넘어지면, 그때 부러진 곳이 다시 부러지지 않나요?"라고 물었습니다.

그랬더니 아버지는 긴 말 대신 제 손을 아버지의 다리에 가져다 대셨습니다. 그런데 천천히 아버지의 다리를 만져 내려갔더니 뼈가 가지런히 내려오다가 유독 부러진 부분에서 더욱 두터워져 있는 것을 느낄 수 있었습니다. 치유 과정을 거치며 골절된 부분에서 뼈를 구성하는 물질이 더욱 많이 생성되어 오히려 다른 뼈보다 튼튼해진 것입니다. 어린 마음에도 '부러져도 다른 데가 부러지지, 한번 부러졌던 그 자리는 절대로 안 부러지겠구나.' 하고 안심했던 기억이 납니다.

그렇습니다. 우리의 인간관계도 마찬가지입니다. 도저히 관계를 지속할 수 없는 위기가 찾아왔을 때, 관계를 깨지 않고 지혜롭게 그 위기를 잘 극복하고 나면, 오히려 그 위기가 관계를 더욱 돈독하게 만들어 줍니다.

용서는 받는 사람의 입장에서 볼 때, 평생 잊을 수 없는 영적인 자선입니다. 너무나 큰 잘못을 저지르고 이러지도 저러지도 못한 채 궁지에 몰려 있는데, 나로 인해 피해를 입은 사람이 나를 따뜻하게 감싸 줍니다. 당연히 화를 내고 분풀이를 하려 할 것이라 생각했는데, 아무 조건 없이 용서를 베풉니다. 그 사람을 어떻게 잊을 수 있겠습니까? 일평생 그를 은인으로 여길 것입니다.

그러므로 용서는 일평생 내 옆에 머물며, 무제한 나를 위해 헌신해 줄 소중한 친구를 얻는 비결입니다. 당장은 미운 마음에 '그런 사람은 아예 옆에 없는 게 더 나아. 그런 사람과 일평생 친구가 되느니 외롭게 살겠어.' 하는 마음이 들지 모르지만, 시간이 지나면 사람만큼 귀한 재산이 없음을 알게 될 것입니다. 인생을 살며 사람을 얻는 것만큼 소중한 가치는 없습니다.

허물은 누구에게나 있습니다. 그래서 허물을 덮어 줄 수 있는 사랑이 있는 사람은 사람을 얻지만, 허물을 덮어 줄 수 있는 사랑이 없는 사람은 사람을 잃습니다. 인생이라는 커다란 짐은 홀로 지고 가기에는 여간 버거운 것이 아닙니다. 무엇보다 용서하지 못하는 사람은 자기의 허물로 인해 고초를 겪을 때 아무도 손을 내밀어 주지 않는 쓸쓸함을 맛볼 것입니다.


## 용서의 기적

퀴블러-로스(Elizabeth Kübler-Ross)와 케슬러(David Kessler)의 책 『인생 수업』(Life Lessons)은 용서를 이렇게 정의합니다. "용서는 다시 한번 진정한 자신이 될 수 있는 자유를 줍니다. 그리하여 모두가 관계를 새롭게 시작할 기회를 얻습니다. 그 기회는 용서만이 부릴 수 있는 마술입니다."

그렇습니다. 용서는 마술입니다.

참된 용서는 녹을 것 같지 않던 마음을 녹이고, 달라지지 않을 것 같던 사람을 변화시킵니다.

우리는 짐 엘리엇(Jim Elliot)과 그의 아내 엘리자베스 엘리엇(Elizabeth Elliot)의 삶을 통하여 용서가 어떻게 철옹성 같던 마음의 벽을 허무는지 봅니다.

선교에 생애를 바치기로 결심한 짐 엘리엇은 살인 부족으로 유명한 아우카(Auca)족에게 복음을 전하기 위해 에콰도르로 갑니다. 4년 여 간 현지에서 언어와 풍습을 익히며 함께 선교할 친구들을 모은 그는 드디어 1956년 1월 8일, 아우카 부족과의 직접 접촉을 시도합니다. 몇 달 전부터 선물꾸러미를 투하하며 치밀하게 준비한 만남이었습니다.

그러나 백인에 대해 적대감을 가지고 있던 아우카 부족은 독침과 창으로 짐을 포함한 5명의 젊은 선교사들을 모두 죽여 버립니다. 그때 짐 엘리엇의 나이는 겨우 28세였습니다.

그런데 1958년 가을, 죽음을 각오하고 어린 딸과 함께 아우카 부족이 사는 마을로 들어간 여인이 있었습니다. 바로 짐 엘리엇의 아내 엘리자베스였습니다. 그녀는 3년 동안 아우카 부족과 동고동락하며 그들을 위해 헌신합니다.

그리고 3년 후, 귀국을 앞둔 그녀를 위해 아우카족의 추장은 파티를 열어 줍니다. 그 자리에서 엘리자베스는 자신이 누구인지 밝힙니다. "5년 전에 당신들이 죽인 남자가 제 남편입니다. 남편이 전하고자 한 하나님의 사랑 때문에 저도 여기까지 왔습니다."

그녀의 고백을 들은 아우카 부족은 예수 그리스도를 구세주로 영접합니다. 그리고 10여 년 후, 5명의 선교사들의 가슴에 창과 화살을 꽂았던 '키모'(Kimo)라는 아우카족 젊은이는 아우카족 최초의 목사가 되었고, 순교한 선교사들의 자녀 중 2명이 그들의 아버지가 순교의 피를 흘린 팜 비치 강가에서 '키모' 목사에게 세례를 받게 됩니다.

모두 사랑하는 남편을 잔인하게 살해한 아우카 족을 사랑으로 껴안은 엘리자베스의 용서가 일구어 낸 기적이었습니다.

짐 엘리엇은 말했습니다. "영원한 것을 위하여 영원하지 않은 것을 버리는 사람은 결코 바보가 아니다."

영원한 하나님을 위해, 자신의 목숨을 아낌없이 던진 젊은 선교사의 말이 우리의 가슴을 울립니다. 우리의 인생은 영원한 것을 사모하며 살기에도 짧습니다. 용서하지 않음으로 인해 낭비할 시간이 없는 것입니다.

사랑과 용서라는 영원토록 가치있는 일을 위해 아집과 옹졸함을 과감히 버리십시오.

그것이 영원한 것을 바라보는 사람의 삶의 태도입니다.

## 예수님을 따라 용서하라

가만히 생각해 보십시오. 여러분은 왜 그리스도인이 되어, 쓰디 쓴 성화의 삶을 살아가고 있습니까? 한 번뿐인 인생, 맘껏 자고, 맘껏 즐기고, 맘껏 누리다 가기에도 아깝지 않습니까? 그런데 고난도 달게 받으며 이름 없이 빛도 없이 주님을 섬기며 살아가려 하십니까? 미래에 주실 복을 사모하는 마음이 없는 것은 아니지만, 그보다 더 큰 이유는 과거에 받은 사랑입니다. 바로 쓸모없는 죄인을 용서해 주신 그 십자가 사랑 때문입니다.

인간관계의 원리도 이와 같습니다. 무엇인가 잘못해서 모든 사람이 핏대를 올리며 짓밟으러 달려들 때, 그때 일으켜 세워 주고 옷을 털어 주었던 사람을 어떻게 배신할 수 있겠습니까? 그 사람이 위기를 만났을 때, 어떻게 나의 안위를 먼저 돌아볼 수 있겠습니까? 보상을 기대해서가 아니라, 마음이 그렇게 움직이기에 그의 편에 설 수밖에 없을 것입니다.

혹시라도 스스로 인덕이 없다고 생각하는 분이 있습니까? 어쩌면 이렇게 도와주는 이 하나 없이 박복하게 살아가는지 한탄스러운 분이 있습니까?

여러분의 삶의 태도를 진지하게 반성해 보십시오. 사람들에게 문제가 있는 것이 아니라 여러분 자신에게 문제가 있을 수 있습니다. 우리가 좀 더 대범했다면, 좀 더 관대했다면, 지금보다 훨씬 더 많은 사람과 함께 하고 있지 않았을까요?

지금이라도 한번 시작해 보십시오. 누군가 여러분에게 뭔가 실수하고 잘못해서 미안해 할 때, 대범하게 그를 용서하고 관용을 베풀어 보십시오. 그러면 아마 오랫동안 그는 여러분을 기억할 것입니다. 설령 여러분은 그를 잊어도, 그는 여러분을 잊지 못하고 여러분을 그리워할 것입니다.

물론 어떤 경우에는 어렵게 용서를 해주었으나, 그 가치를 몰라 주는 사람도 만날 것입니다.

그러나 그러면 어떻습니까? 그렇게 값없이 용서를 베풀며 누구나 기대 설 수 있는 큰 나무처럼 살아간다면, 그것만으로도 충분하지 않을까요?

그 사람이 바로 예수 그리스도의 사랑이 무엇인지를 아는 사람이며, 그 사랑을 세상에 가르쳐 줄 수 있는 사람이기에…….

PART 2

{ 사랑받는 삶의 비밀 }

1♥

은혜가 담기는
삶의 태도
10

제7장

# 말씀에
# 순종하려는 사람

"내 아들아 나의 법을 잊어버리지 말고 네 마음으로 나의 명령을 지키라
그리하면 그것이 네가 장수하여 많은 해를 누리게 하며 평강을 더하게 하리라
인자와 진리가 네게서 떠나지 말게 하고 그것을 네 목에 매며 네 마음판에 새기라
그리하면 네가 하나님과 사람 앞에서 은총과 귀중히 여김을 받으리라"

잠 3:1-4

진리는 인간이 지닐 수 있는 최고의 것이다(초서, Geoffrey Chaucer).

진리는 공평하고 항구적인 것이다(플라톤, Platon).

진리를 찾는 자가 횃불을 밝힌다(잉거솔, Robert Green Ingersoll).

개개인은 죽을지라도 진리는 영원하다(제럴드, Douglas William Jerrold).


## 하나님의 칭찬과 사람의 칭찬의 병립

신약 시대의 사도들은 복음으로 인해 핍박받을 때 이렇게 말했습니다. "사람보다 하나님께 순종하는 것이 마땅하니라"(행 5:29).

그들은 사람의 편인지 하나님의 편인지 양자택일해야 할 상황에 봉착했을 때, 주저함 없이 하나님 편에 섰습니다. 설령 그로 인해 목숨을 내어 놓게 된다 할지라도 말입니다.

그런데 이것은 어디까지나 초대 교회 시절의 이야기입니다. 그 당시의 특수한 상황이 반영된 결과이지, 하나님 편에 서는 것이 항상 세상의 미움과 멸시를 몰고 오는 것은 아니라는 말입니다.

혹시라도 하나님을 선택하고, 하나님의 뜻에 복종하는 것이 세상 사람들과 원수지는 일이라고 생각하고 있다면, 이것은 성경을 왜곡하여 이해하고 있는 것입니다.

본문에서 보다시피 성경은 오히려 "그리하면 네가 하나님과 사람 앞에서 은총과 귀중히 여김을 받으리라"(잠 3:4)고 말합니다. 하나님의 말씀을 마음에 새기고 지키는 일이 하나님은 물론 사람에게도 사랑받는 비결이라는 것입니다.

실제로 예수님을 보십시오. 성경은 "예수는 지혜와 키가 자라가며 하나님과 사람에게 더 사랑스러워 가시더라"(눅 2:52)라고 증언합니다.

바른 신앙은 우리의 존재를 오히려 더 사랑스럽게 변화시킵니다. 신앙 때문에 사람들에게 제대로 인정받지 못한다고 생각하는 사람들이 있는데, 대부분의 경우 신앙을 지키려 노력하기 때문이 아니라 지혜가 부족하고 어리석기 때문에 미움을 산 것입니다. 조금만 더 지혜롭고 성실했다면 하나님은 물론 사람에게도 사랑을 받을 수 있었는데, 스스로 부족했기에 그렇게 된 것입니다.

물론 하나님을 섬기다 보면 불가피하게 사람과 원수가 되어야 하는 때도 만납니다. 그러나 그것은 인생 가운데 극히 드물게 찾아오는 특별한 상황입니다. 하나님을 기쁘시게 하는 태도로 살아가면, 대부분의 경우 사람에게서도 칭찬을 듣기 마련인 것입니다.

그래서 초대 교회가 일곱 집사를 선택할 때, 다음과 같은 기준을 세웠습니다. "형제들아 너희 가운데서 성령과 지혜가 충만하여 칭찬받는 사람 일곱을 택하라"(행 6:3).

오직 주님 일념으로 살아가면 사람들로부터 칭찬을 듣기 힘들다고 생각하는 사람들은 의아할 것입니다. 그들은 자신이 다른 사람들로부터 사랑을 받지 못하는 이유가 자신이 하나님과의 관계에만 충실하기 때문이라고 생각합니다. 그러나 이것은 매우 자의적인 해석입니다.

사람은 누구나 자의적으로 해석하는 데 탁월한 재능을 가지고 있습니다.

목회자들도 다르지 않은데, 다른 사람이 목회하는 교회에 성도들이 많이 모이면 세속적인 방법을 많이 썼기 때문이라고 생각하고, 자신이 목회하는 교회에 성도들이 증가하는 것은 하나님이 복을 주셨기 때문이라고 해석합니다.

다른 교회가 잘 안 되는 것은 하나님이 기뻐하지 않으시기 때문이라고 생각하고, 자신의 교회가 잘 안 되는 것은 하나님의 말씀대로 목회하는 것을 패역한 시대가 받아들이지 못하는 것이라고 생각하는 것입니다.

개인의 경우도 마찬가지입니다. 어떤 사람이 대중적으로 환영을 받고 인기를 얻으면, '저 사람 틀림없이 하나님과의 관계는 허술할 거야. 그러니 사람들의 입맛에 척척 붙는 사람이 되지.' 생각합니다. 그러나 자기가 사람들에게 환영을 받으면, 모두 은혜가 충만하고 성품이 좋아서 그런 것이라 여깁니다.

정도의 차이가 있을 뿐이지 인간에게는 모두 이러한 허구가 존재합니다.

그러나 성경이 말하는 바는 분명합니다. 성령과 지혜가 충만하면 사람들로부터도 칭찬을 들을 수밖에 없다는 것입니다. 그래서 초대 교회는 사람들에게 칭찬을 받는 것을 집사가 되는 아주 중요한 조건으로 꼽았습니다.


## 사랑스러운 사람, 다윗

성령과 지혜가 충만하여 칭찬을 들었던 사람의 대표적인 인물이 다윗입니다. 하나님 앞에 범죄하고 여러 가지 어려움을 겪기 전까지 다윗은 백성들로부터 존경과 사랑을 아주 많이 받았습니다.

처음 다윗이 왕이 되겠다고 선언을 했을 때, 많은 사람들이 그를 따랐습니다. 그런데 그들은 대부분 사울의 치하에서 소외되었던 사람들이었습니다. 병든 자, 억울한 자, 빚진 자, 원통한 자, 이런 사람들이 다윗을 따랐던 것입니다.

사람은 마음이든 몸이든 아프면 옹졸해지기 마련입니다. 그런데 그런 사람들이 다윗을 따랐습니다. 그에게서 무엇인가 따뜻함을 발견한 것입니다.

실제로 다윗에게는 사람을 잡아 끄는 놀라운 힘이 있었습니다. 그래서 다윗을 한없이 사랑하며 그를 위해 기꺼이 목숨을 바치고자 했던 사람들이 그의 굴곡진 인생의 고비마다 있었습니다.

그런데 그런 사랑을 받았던 것이 다윗이 하나님을 향한 신앙을 훼손하면서 사람들의 비위를 맞추었기 때문이었습니까?

범죄하던 그 순간을 제외하고는, 결코 다윗의 시선은 하나님을 떠나 사람에게 향한 적이 없습니다. 다윗은 하나님을 빼고는 설명할 수 없는 사람입니다. 그의 중심이 그렇게 오롯이 하나님만을 앙망하고 있었던 것입니다.

그런데 그런 그의 태도가 사람들을 끌었습니다.

다윗이 아들 압살롬에게 쫓겨 도망할 때, 사울의 일족인 시므이가 다윗을 저주하며 비웃었습니다. "다윗 왕이 바후림에 이르매 거기서 사울의 친족 한 사람이 나오니 게라의 아들이요 이름은 시므이라 그가 나오면서 계속하여 저주하고 또 다윗과 다윗 왕의 모든 신하들을 향하여 돌을 던지니 그때에 모든 백성과 용사들은 다 왕의 좌우에 있었더라 시므이가 저주하는 가운데 이와 같이 말하니라 피를 흘린 자여 사악한 자여 가거라 가거라 사울의 족속의 모든 피를 여호와께서 네게로 돌리셨도다 그를 이어서 네가 왕이 되었으나 여호와께서 나라를 네 아들 압살롬의 손에 넘기셨도다 보라 너는 피를 흘린 자이므로 화를 자초하였느니라"

(삼하 16:5-8).

그러자 다윗의 충복 아비새는 다윗에게 그를 죽이자고 말합니다. 그때 다윗은 이렇게 대답합니다. "그가 저주하는 것은 여호와께서 그에게 다윗을 저주하라 하심이니 네가 어찌 그리하였느냐 할 자가 누구겠느냐"(삼하 16:10).

다윗의 인생을 수많은 고난 속에 빠뜨리고 수없이 생명을 위협한 사울을 죽일 수 있는 절호의 기회가 왔을 때, 다윗이 했던 말을 연상하게 하는 대답입니다.

그때에도 아비새는 다윗에게 똑같이 말했습니다. 눈앞에서 무방비로 누워 자고 있는 사울을 죽이자고 말입니다. 그러나 다윗은 사울에 대한 원망보다 그를 기름 부어 세우신 하나님을 먼저 떠올렸습니다. "다윗이 아비새에게 이르되 죽이지 말라 누구든지 손을 들어 여호와의 기름 부음 받은 자를 치면 죄가 없겠느냐"(삼상 26:9).

다윗은 철저하게 하나님 중심으로 사고하고, 판단하고, 살았습니다. 그런데 그런 삶의 결과를 보십시오. 사람에게 버림 받은 것이 아니라, 사람들의 존경과 사랑을 받았습니다.

시므이를 보고 용서한 것이 아니라 하나님을 보고 그를 그냥 내버려 둔 것인데, 시므이는 이후 다윗의 사람이 되었습니다. 성경에 자세히 나타나 있지는 않지만, 모든 것을 하나님과의 연관성 속에서 해석하는 다윗의 태도에 그가 신망을 느낀 것은 분명합니다.

사울의 친족이자 압살롬의 추종자였던 시므이는 이후 다윗의 신하가 되어 일생 동안 그에게 충성을 다하며 살아갑니다. 노년에 힘을 잃은 다윗을 대적하여 아도니야의 반란이 있었을 때, 시므이는 끝까지 다윗 곁을 지킵니다. "제사장 사독과 여호야다의 아들 브나야와 선지자 나단과 시므이와 레이와 다윗의 용사들은 아도니야와 같이 하지 아니하였더라"(왕상 1:8).

다윗의 생애는 우리에게 사람에게 진실로 사랑받기 위해서는 사람이 아니라 하나님을 사랑해야 함을 가르쳐 줍니다. 다윗의 생애에 대적이 많았던 것은 사실이지만, 목숨을 걸고 그를 사랑했던 충복들도 많았습니다.

다윗이 블레셋과 전쟁을 치르던 중의 일입니다. 당시 블레셋 군이 베들레헴에 진을 치고 있었는데, 블레셋 영채를 바라보던 다윗이 무심코 말을 합니다. "베들레헴 성문 곁 우물물이 마시고 싶다."

이 말에 다윗의 세 용사가 블레셋 군대를 뚫고 물을 떠 옵니다. 누가 시킨 것도 아닌데, 다윗의 말 한 마디에 아낌없이 목숨을 걸었던 것입니다.

그런데 더 아름다운 장면은 여기에 뒤이어 이어집니다. 원했던 물을 받아 들고 다윗은 기뻐하는 대신, 하나님을 찾습니다. "다윗이 마시기를 기뻐하지 아니하고 그 물을 여호와께 부어 드리며 이르되 여호와여 내가 나를 위하여 결단코 이런 일을 하지 아니하리이다 이는 목숨을 걸고 갔던 사람들의 피가 아니니이까 하고 마시기를 즐겨 하지 아니하니라"(삼하 23:16-17).

세 장수와 다윗이 함께 끌어안고 서로를 향한 마음을 확인하는 장면이 아님에도 불구하고, 우리는 여기서 그 어떤 애정 표현보다 끈끈한 사랑을 봅니다. 다윗은 이런 사랑을 받은 왕이었고, 그것은 모두 철저하게 하나님 중심으로 살았던 그의 삶의 태도가 빚어 낸 결과이자, 그의 안에 충만한 진리와 은혜가 맺은 결실이었습니다.

참다운 진리를 따라 살아가면, 외롭고 쓸쓸할 것이라고 생각합니까? 세상이 그리고 세상의 사람들이 워낙 진리를 싫어하기에, 그 진리를 미워하는 미움 때문에 덩달아 고통을 당하기도 할 것입니다.

그러나 세상에는 진리를 미워하는 사람들만 있는 것이 아닙니다. 진리에 목말라 하는 사람들도 있습니다. 그런 사람은 진리에 합치하는 어떤 사람의 삶을 볼 때, 그 속에서 무한한 영감과 감화 그리고 사랑을 느낍니다.

그것이 바로 진리가 사람들을 합치하게 하는 힘입니다. 진리에는 그런 힘이 있고, 다윗은 그 힘을 직접 보여준 사람입니다.


## 사랑받고 싶은 이유

사람들에게 좋은 인상을 심어 주고, 사람들에게 환심을 얻는 것은 매우 중요한 일입니다. 그러나 신앙의 가치를 양보해서 받는 사랑이라면 그것은 아무 의미가 없습니다.

하나님을 믿는 신앙은 다 팔아 먹고 사람들에게 잘 보이기 위해서 어떻게 옷을 입고, 어떻게 행동하고, 어떻게 웃어야 할지를 익히는 것은 사람들을 즐겁게 하는 앵무새 놀음에 지나지 않습니다.

우리가 좋은 삶의 태도를 갖추고자 하는 것은 우리가 가진 좋은 신앙이 제대로 사람들에게 영향력을 발휘할 수 있도록 하기 위함입니다. 아주 좋은 신앙을 가지고 있어도 삶의 태도가 나쁘다면, 그것은 둔탁한 갑속에 들어 있는 칼과 같아서 제 역할을 다하지 못합니다. 그러나 영성이 깊을 뿐 아니라 삶의 태도도 아주 올바르면, 그때는 삶도 검의 위력을 발휘합니다.

그러므로 그리스도인의 삶에서 사람들로부터 사랑받는 일은 하나님을 깊이 사랑하면 자연스럽게 도출되는 결과이자, 하나님의 더 큰 목적을 성취하는 데 기여해 가는 과정입니다. 그런데 어떤 사람들은 사랑받는 일 그 자체에 너무 큰 가치를 부여합니다. 그것이 목적이 되고 마는 것입니다.

여러분 자신을 돌아보십시오. 왜 사랑받고 싶어합니까? 그저 마음의 공허함을 달래고, 사람들의 관심과 추앙과 애정이 주는 심리적 만족을 즐기고 싶기 때문은 아닙니까?

인간적인 매력으로 사람들을 끌고자 하는 사람은 평생을 사람들의 환심을 사는 일에만 몰두하다 아까운 인생을 마감하고 말 것입니다.

더 큰 목적을 바라보십시오. 더 큰 만족을 추구하십시오. 사람이 주는 만족이 아니라 하나님이 주시는 만족을 사모하며 살아가다 보면, 사람의 사랑은 저절로 여러분에게 미쳐 있을 것입니다.

그래서 본문은 사랑받는 비결을 이렇게 제시합니다.

하나님의 말씀에 순종하면서 살아가면 하나님의 은혜를 입을 뿐 아니라 사람들에게도 존귀하게 된다는 것입니다.

예수님이 우리를 선교에 내 보내시면서 가르쳐 주신 교훈이 있습니다. 바로 비둘기처럼 순결하고, 뱀처럼 지혜로워야 한다는 것입니다.

명심하십시오. 뱀처럼 지혜로운 행동이 아무리 많아도, 그것이 비둘기와 같이 순결하라는 덕목을 대신할 수는 없습니다. 모든 것이 슬기롭고 아름답다고 할지라도 하나님을 향한 진정한 사랑과 순결이 없다면 의미가 없는 것입니다.

물론 하나님을 향한 순결한 사랑과 순전함이 있다고 할지라도 지혜롭지 못하다면 그것은 빛을 발하기 어렵습니다.

그러므로 우리는 외적인 삶의 태도는 물론 내적인 신앙의 깊이까지 고루 갖춘 사람이 되어야 합니다. 그것이 하나님의 자녀다운 복된 삶을 살아가는 비결입니다.


## 좋은 신앙은 좋은 삶의 태도를 낳는다

그런데 어쩌면 여기서 이런 의문을 느낄 것입니다. 하나님께만 집중하다 보면, 당연히 사람들은 소홀히 할 수밖에 없지 않은가 하는 것입니다.

어느 정도는 다른 사람에게 선하고 좋은 인상을 남기고자 노력해야 하는데, 하나님께 몰두하다 보면 자연스럽게 그런 일에는 소홀해지고,

그러다 보면 사람들에게 오히려 서운함을 남길 수도 있을 것이라는 걱정입니다.

그러나 하나님께 집중을 하면 사람들은 안중에 없어진다는 생각은 하나님께 집중해 보지 못한 사람의 편견입니다.

하나님께 집중하면, 하나님이 사랑하는 사람들에게도 최선을 다하게 됩니다. 즉 올바르게 하나님을 사랑하는 사람이라면 그러한 삶의 모습으로 다른 사람들의 선망과 부러움을 사지, '저 사람 하나님께만 집중하느라 나를 무시하는구나.' 하는 인상을 심어 주지 않는다는 것입니다.

발로(Walter Barlow)라는 사람이 앤드루 머리(Andrew Murray) 목사님에 대해서 쓴 글을 읽은 적이 있습니다. 머리 목사님은 네덜란드 개혁파 목회자로, 저 역시 깊이 존경하는 분입니다. 키가 153cm이었다고 하니, 서양인 치고는 매우 작은 분임이 분명합니다. 그런데 아무도 그 분을 작게 보지 않았다고 합니다.

실제로 그 분의 별명은 작은 거인이었습니다. 체구는 작지만 사람들에게 언제나 크고 진한 인상을 남기셨던 것입니다. 그 분의 책을 읽어 보면 알겠지만, 머리 목사님은 깊고 넓은 영성을 소유한 분으로 체구는 작아도 영적으로는 거인이셨습니다.

그런데 발로는 그 분을 회고하며 이런 경험을 이야기합니다. "우리가 문을 열고 들어가자 작은 체구의 영적 거인이 무릎에 두 손을 포갠 채 조용히 눈을 감고 계셨습니다. 누구도 쉽게 침범할 수 없는 장중한 분위기 속에서 그 분은 하나님께 기도를 올리고 계셨습니다. 잠시 후 그는 눈을 뜨고 우리에게 환한 미소를 보내며 함께 기도하자고 제안 했습니다. 그때 우리는 주님 앞에 있게 되었습니다."

사람들이 들어왔는데 가만히 앉아 조용히 눈을 감고 하나님을 명상하고 있었다고 합니다. 어떻게 보면 무례한 태도입니다. 손님의 입장에서는 무시당했다는 생각이 들 수도 있을 상황입니다.

그런데 실제로 아무도 그렇게 느끼지 않았습니다. 오히려 그 속에서 침범할 수 없는 그 무엇인가를 느끼며, 하나님과 하나님께 붙들린 사람의 존재에 압도당했습니다.

단편적인 예이지만, 이렇게 하나님께 마음을 집중하는 태도는 결코 다른 사람에게 무시당하는 느낌을 던져 주지 않습니다.

하나님께 올바른 태도를 가진 사람은 사람에게도 언제나 올바른 태도를 보입니다. 이것은 역으로 사람에게 올바르지 않은 태도를 보이는 사람은 하나님을 향하여서도 올바른 태도를 갖지 않았다고 보는 것이 맞다는 말이기도 합니다.


## 여호람이 놓친 것

사람의 시선을 의식하지 말고, 먼저 하나님께 집중해 보십시오. 오래도록 같이 있고 싶고, 친밀한 관계를 맺어 가고 싶은 사람은 어떤 사람입니까? 알면 알수록 존재의 아름다움이 계속 발견되는 사람입니다. 그런 사람을 누가 사랑하지 않을 수 있겠습니까?

그런데 이러한 아름다움은 하나님과 친밀한 관계를 나누는 사람들만이 소유하고 있습니다.

최고의 인생은 하나님께도 사랑받고 사람에게도 사랑받는 삶입니다. 예수 그리스도가 자라며 날마다 하나님과 사람에게 사랑스러워가셨던 것처럼 말입니다.

그러나 다양한 환경과 상황으로 인해 이것이 어려워 질 수도 있습니다. 그럴 때에는 차선책으로 사람에게는 미움을 받아도, 하나님께는 사랑을 받는 삶을 선택해야 합니다. 하나님께 사랑받지 못하는 삶은 그 자체로 절망이기 때문입니다.

역대하 21장에는 유다 왕 여호람의 행적이 기록되어 있습니다. 한 나라의 왕이었으니, 존귀한 존재임에 틀림없습니다. 그러나 그의 마지막은 비참하기 이를 데 없었습니다. 그는 창자가 빠져 나오는 병에 걸려 고통 받다가 생을 마감하는데, 성경은 그의 최후를 "아끼는 자 없이 세상을 떠났으며"(대하 21:20中)라고 기록하고 있습니다.

여호람이 아무도 아끼는 자 없이 비참하게 생을 마감할 수밖에 없었던 이유는 무엇일까요? 왕가에서 그것도 장자로 태어났으니, 좋은 교육을 받으며 유복한 환경에서 성장했을 것입니다.

그의 생애에 결여된 것이 있다면 오직 하나, 하나님을 의지하는 신앙이었습니다. 하나님을 의지하지 않았기에, 그는 왕위에 오르자마자 동생들을 칼로 죽이는 방법으로 왕권을 굳건히 하려 했습니다. 또한 북왕국 아합왕의 딸 아달랴를 신부로 맞아들이며 바알 우상을 들여오고 우상숭배에 깊이 빠졌습니다. 모두 그가 하나님을 의지하지 않았음을 보여주는 행적들입니다.

그러한 선택의 결과, 유다는 여호람 통치 시기에 급속히 위축됩니다. 그가 도모한 인간적인 방책들은 왕권 및 국력 강화에 전혀 도움이 되지 않았던 것입니다. 블레셋과 아라비아의 침략으로 왕궁의 모든 재물은 물론 아들들과 아내들마저 빼앗겼고, 결국 백성들의 동정조차 사지 못한 채 쓸쓸히 역사에서 퇴장합니다.

하나님을 의지하지 않는 삶의 결과는 아무도 아껴 주는 이 없는 가운데 죽어 가는 것임을 알려주고 비참하게 떠난 것입니다.


## 말씀의 은혜는 삶의 지혜로 나타난다

비단 여호람의 경우만이 아닙니다. 인간의 꾀와 방법을 의지하는 어리석음은 삶을 비참하게 만듭니다. 우리의 삶을 풍요롭고 복되게 하는 것은 하나님의 은혜, 곧 말씀으로부터 깨달아지는 삶의 지혜입니다. 그리고 삶의 태도는 이러한 지혜가 삶에 반영된 결과입니다.

그러므로 앞서 언급하였듯이 좋은 신앙이 있어야 좋은 삶의 태도가 나올 수 있고, 그 바람직한 태도로 인해 사람들의 사랑을 받을 수 있는 것입니다.

그런데 여기서 여러분은 이런 질문을 하고 싶을 것입니다. "좋은 신앙을 가졌다고 해서 모두 좋은 인격과 바람직한 삶의 태도를 갖추었다고 볼 수는 없지 않나요? 저는 주위에서 설교도 열심히 듣고 성경공부도 열심히 하는 사람 가운데에서, 성품과 태도가 한심하기 이를 데 없는 사람을 종종 만나는데요.”

맞습니다. 교회 안에서도 주변 사람들에게 소소한 불쾌감을 끼치는 사람들이 있습니다. 부딪히고도 미안하다고 인사할 줄 모른다든지, 신발을 신고 의자와 탁자를 오르내리는 아이들을 제지하지 않는 부모라든지, 탁자에 커피나 음료수를 쏟고도 닦지 않아 다음 사람이 끈끈해진 유리 때문에 불편을 겪게 한다든지 하는 등등의 경우들입니다.

그런데 그런 실수를 하는 사람들이 모두 은혜가 바닥인 것은 아닙니다. 내면에 하나님을 향한 깊고 진실한 사랑, 하나님을 만난 분명한 체험, 단호한 신앙적 결단력들을 두루 갖춘 사람임에도 그런 실수를 하기도 합니다.

문제는 아직 하나님의 법도와 진리가 그의 삶 깊숙이까지 제대로 스며들지 못한 것입니다. 말씀의 은혜가 없는 것은 아니지만 그것을 자신의 삶 속에 치열하게 적용하는 노력이 부족한 것입니다.

하나님의 말씀을 듣고 놀라운 깨달음과 은혜를 누리면 뭐 합니까? 그것을 삶에 적용하고자 치열하게 노력하지 않으면, 마음속에 부어진 하나님의 은혜는 대바구니 속에 부어진 물과 같이 쉽게 빠져나가 버리고 맙니다. 결코 삶의 지혜로 나타나, 바람직한 삶의 태도를 불러오지 못하는 것입니다.

영혼의 아름다운 모습이 있어도, 사람들의 눈에 그것은 결코 한번에 읽혀지지 않습니다. 오히려 사람들은 겉모습과 태도에서 풍기는 몇 가지 단편적인 인상만으로 그를 평가합니다. 물론 오래 관계를 맺고 깊이 있게 교제하다 보면 그의 중심에까지 이르게 될 것입니다. 그러나 대부분의 사람은 그 중심에까지 들어가려는 노력 없이 스치듯 전해 주는 인상만 가지고 헤어집니다.

그러므로 우리는 지혜로워져야 합니다.

은혜를 받을 뿐 아니라, 그 진리가 우리 마음에 들어가서 녹고, 용해되어, 우리의 온 삶에 묻어 나올 수 있도록 치열하게 그 진리에 자신을 합치하고자 애써야 하는 것입니다. 그러한 분투가 있으면, 삶에 대한 어떤 명료한 지혜가 생겨납니다.


## 그리스도인의 품격

오늘날 교회와 그리스도인들이 세상에서 욕을 먹게 된 것은 삶에 공을 들이지 않기 때문입니다. 연단도 받고 은혜도 받았는데, 여전히 개념 없는 삶을 살아간다면, 어디서부턴가 매우 심각하게 잘못되어 있는 것입니다. 이것은 하나님의 영광을 가리는 일인 동시에 부끄러운 일입니다.

우리는 삶의 태도를 올바르게 해서 하나님께는 더욱 사랑스러워지고 사람들에게는 더욱 존귀하게 여김을 받아야 합니다. 아무도 우리를 함부로 대할 수 없도록 그리스도인의 품격을 갖추어야 하는 것입니다.

그런데 이 품격은 대단한 성취를 통해 획득되는 것이 아니라 삶의 소소한 작은 습관들과 관계 속에 나타나는 작은 태도들로부터 빚어집니다.

그러므로 우리는 항상 태도를 조심하며 살아가야 합니다. 계속해서 사람들에게 존중받지 못하고 있다면 하나님 앞에 지혜를 구하면서 스스로의 결점을 물어야 합니다.

자신의 일그러진 태도를 볼 수 있게 해 달라고 간절히 기도해야 옳은 것입니다.


## 혼자서도 잘해요

어느 집안에 두 며느리가 있었습니다.

큰며느리는 성품이 반듯하고 책임감이 강한 사람이었습니다. 그래서 자신에게 맡겨진 일은 핑계하지 않고 언제나 성심껏 말없이 감당하였습니다. 혹시라도 시어머님을 성가시게 하거나 폐를 끼치게 될까봐 작은 일 하나에도 신경을 썼습니다. 그렇게 집안의 대소사에 온 마음을 쏟아 일하다 보니, 큰 일을 치르고 난 뒤 긴장이 풀려 쓰러져 병원에 실려 가는 적도 있었습니다.

큰며느리는 일단 자신의 일로 주어지면 시어머님에게 물어 보거나 도움을 청하는 법 없이 모든 일을 해내는 완벽주의자였습니다. 그래서 그는 늘 시어머니에게 인정을 받았고, 거의 책망을 듣는 일이 없었습니다.

그런데 이와는 대조적으로 그 집안의 작은며느리는 혼자서는 아무 것도 제대로 못해 내는 사람이었습니다. 자기 일을 남에게 미루기 일쑤였고, 작은 일도 엄두를 내지 못해 누군가 의지할 사람을 찾았습니다.

그래서 작은 일이라도 자신에게 맡겨지면 언제나 시어머님을 괴롭게 하였습니다. 자기 남편 생일에도 시어머님을 불러 함께 시장을 보고 음식을 장만하였습니다.

시어머니는 이런 작은며느리를 늘 타박하였지만, 작은며느리는 시어머님이 좋아하는지 싫어하는지 눈치도 없이 매사를 의지하며 어린애처럼 칭얼거렸습니다. 그래서 시어머님은 작은며느리가 힘든 일들을 부탁하며 떠넘길 때마다 "네 형님을 보아라. 너는 언제쯤이나 나한테 기대지 않고 너 혼자 잘할 수 있겠니?"라고 잔소리를 하였습니다.

그리고 그때마다 작은며느리는 응석을 부리듯이 어머니에게 투덜거렸습니다. "어머니 없이 제가 무엇을 하겠어요? 저는 아무 것도 몰라요. 어머님이 도와주시지 않으면 저는 아직 김치도 잘 못 담그는 걸요."

여러분 생각에는 어느 며느리가 시어머니의 사랑을 받았을 것 같습니까?

시어머님에게는 성품이 반듯하고 책임감이 강한 큰며느리보다 눈치 없고 일도 잘 못하는 작은며느리가 더 예쁘게 보였습니다. 시어머니를 의지하지 않고 혼자 힘으로 집안 대소사를 감당하는 큰며느리의 헌신적인 삶이 우리에게는 감동적이지만, 시어머니에게는 "혼자서도 잘해요."라고 노래하는 교만한 독립심으로 비쳤습니다.

모자라는 것이 많아 늘 귀찮고 걱정스러운 작은며느리이지만, 늘 시어머니를 필요로 하며 의존하는 태도가 시어머니의 마음에는 어여쁘게 보였습니다.

겉으로는 언제나 큰며느리를 칭찬하고 작은며느리를 타박하였지만, 속으로는 큰며느리를 향하여 '그래. 니가 나 없이 얼마나 잘하는지 두고 보자.' 하였던 것입니다.

## 사랑받는 비결

사랑은 의존의 감정입니다. 사랑한다고 말하면서 의존하지 않는 것은 거짓말이며 반복되는 의존은 사랑이 깊어가는 징조입니다. 그것이 이성간의 사랑이든 혹은 인류애적인 사랑이든 어느 경우에나 해당되는 말입니다.

하나님은 어떤 마음으로 우리가 이 세상을 살아가기를 바라실까요? 우리가 아무리 잘 살아도 하나님도 못하시는 일을 실행함으로 하나님을 놀래켜 드릴 수는 없습니다. 그리고 그것은 우리의 일이 아닙니다.

오히려 하나님은 우리가 당신과 함께 사랑의 관계 속에서 살아가기를 원하십니다. 보다 더 깊은 의존의 관계 안에서 살아가기를 바라시는 것입니다.

절대적인 사랑은 절대적인 의존이며, 절대적인 의존은 자신이 의존하는 대상에 대한 절대적인 순종을 내포합니다. 이것이 바로 하나님 없이 독립심으로 가득 찬 채 살아가는 삶을 버리고 그리스도를 통해 하나님을 의존하며 살아야 할 이유인 것입니다.

하나님을 의존하는 것은 단지 우리에게 필요한 음식과 의복을 위해서뿐만이 아닙니다. 오히려 다른 사람들과 더불어 하나님을 섬기며 살아가는 사랑의 관계는 하나님의 은혜의 도움 없이는 이룰 수 없는 것입니다.

흔히들 사랑에 빠지는 것이 사랑의 정수라고 생각합니다. 그러나 그렇지 않습니다. 오히려 참된 사랑은 뜨거운 정념을 넘어서는 그 이상의 관계입니다.

너무나 열렬하게 사랑한 나머지 자신들의 관계를 객관적으로 볼 수 없는 사람들은 꿈같은 열정의 시간이 지나고 나면 차갑게 식은 열정의 잔해들을 마주하여야 합니다. 그리고 뜨거운 사랑의 열정은 무한한 기대를 불러일으키고 사랑이 식었을 때 충족되지 않은 기대는 실망과 배신감으로 변합니다.

오히려 우리는 크고 놀라운 것들이 아니라 아주 작은 삶의 태도들 속에서 보람과 정을 느끼며 자신과 이웃의 인격을 성숙하게 만들어 가야 합니다. 정염뿐인 사랑은 사랑하게 되기 때문에 사랑하게 만들지만, 은혜는 사랑할 수 없는 사람들을 사랑하게 만들어 줍니다.

인간의 덕스러운 사랑은 좋은 관계 안에서 다른 사람들과 함께 참된 인간이 되어 가는 것입니다. 우리들은 크고 강력한 회심을 통하여 본성이 변하기도 하지만 하나님과 사람에게 대하여 반복되는 작지만 덕스러운 태도의 반복적인 경험 속에서 성숙해 갑니다.

하나님은 우리가 그저 다른 사람에게 피해 입히지 않고 살아가기를 바라시지 않습니다. 누구도 안 건드리고, 딱정벌레처럼 웅크리고 살아가라고 우리를 구원하시고, 진리를 깨닫게 하시고, 그 진리대로 살아갈 은혜를 주시는 것이 아닙니다.

우리는 사랑하고 사랑받기 위해 태어난 사람입니다.

받는 것은 이미 하나님으로부터 받았으니 이제는 우리가 베풀 차례입니다.

돌려 받을 것을 계산하지 말고, 사랑을 베푸십시오. 먼저 양보하고, 먼저 웃어 주고, 먼저 손 내밀어 주십시오. 무미건조하게 살아가는 사람들에게 다가가 따뜻하게 안아 주십시오. 그들이 경험해 보지 못한 따스한 관심과 이해를 베풀어 주십시오.

하나님의 은혜가 있는 우리만이 그 일을 할 수 있습니다. 그리고 그렇게 살아가는 것이 바로, 사람들에게 존귀하게 여김 받는 인생을 사는 비결입니다.

사랑받고 싶습니까? 사랑받는 비결이 궁금합니까?

진리에 붙들린 채, 여러분의 삶의 소소한 부분들을 통해 하나님의 사랑을 보여 주십시오. 참된 지혜는 당장의 유익을 도모하는 데 급급하지 않습니다. 당장은 손해 보는 것 같아도, 멀리 보면 더 큰 유익을 가져오는 일이 무엇인지 바라보게 해줍니다.

　말씀에 순종하며, 그 말씀이 가르쳐 주는 지혜 속에서 살아가십시오. 진리에 매여 하나님의 만족을 최우선으로 추구하며 살아가는 존재가 될 때, 우리도 예수님과 다윗처럼, 목숨을 아까워하지 않는 놀라운 사랑을 사람으로부터 받으며 살아가게 될 것입니다.

제8장

# 변명하지 않는 사람

"당신이 잘 되시거든 나를 생각하고 내게 은혜를 베풀어서
내 사정을 바로에게 아뢰어 이 집에서 나를 건져 주소서
나는 히브리 땅에서 끌려온 자요
여기서도 옥에 갇힐 일은 행하지 아니하였나이다"

창 40:14-15

지옥은 훌륭한 변명과 핑계와 소원으로 가득한 곳이다(허버트, George Herbert).

죄를 범하고 힘들게 변명하는 것보다 참회의 눈물을 흘리는 쪽이 더 낫다(토마스 아 켐피스, Thomas à Kempis).

평판과 명성이 높으면 높을수록 변명과 핑계가 적다. 그런 사람에게는 핑계할 것이 거의 없기 때문이다(리턴, Edward Bulwer-Lytton, 1st Baron Lytton).

핑계가 많다는 것은 그만큼 많이 남에게 피해를 주는 것이다. 자연은 결코 핑계하지 않는다(라바터, Johann Kaspar Lavater).

## 변명의 역사

타락 이후, 인간에게는 고자질과 책임 전가의 본성이 생겼습니다. 남의 허물은 들추고, 자기의 허물은 가리려는 태도가 성품의 일부로 자리 잡게 된 것입니다.

어린 아이들은 고자질이 뭔지 깨닫기도 전에, 고자질을 실천합니다. 동생이나 형이 무엇인가 엄마에게 혼날 만한 일을 저지르면, 그것을 얼른 엄마에게 일러야 직성이 풀립니다. 입이 간지러워 견디지 못하는 것입니다.

그런데 재미있는 것은 정작 잘못을 저지른 아이 역시 입 다물고 가만히 있지 않는다는 것입니다. 잘못한 아이는 잘못한 아이대로 무엇인가 핑계거리를 만들고 이유를 댑니다. 자기 책임이 아니라고 어떻게든 상황을 합리화하는 것입니다.

사실 인간에게 이러한 본성이 나타나게 된 역사는 매우 깊습니다.

구차한 변명과 책임 전가의 역사는 아담에게서부터 시작되었습니다. 아담과 하와가 선악과를 따 먹고 타락하였을 때, 하나님은 아담에게 물으셨습니다. "내가 네게 먹지 말라 명한 그 나무 열매를 네가 먹었느냐"(창 3:11 下). 그런데 예 또는 아니오로 대답하면 끝날 질문에 아담은 굳이 긴 설명을 곁들입니다. "하나님이 주셔서 나와 함께 있게 하신 여자 그가 그 나무 열매를 내게 주므로 내가 먹었나이다"(창 3:12).

하와는 물론 하나님에게까지 자신이 저지른 범죄의 책임을 전가하고 있는 것입니다. 하나님과 언약을 맺은 당사자가 자신임에도 불구하고, 아담은 비겁하게 변명만 늘어놓습니다. 죄가 들어오자, 총명도 흐려져 변명으로 자신의 허물을 덮을 수 있으리라는 어리석은 생각을 갖게 된 것입니다.

## 변명하기를 거절한 남자

그런데 성경 속에서 우리는 아담과 전혀 다른 태도로 인생을 살아간 한 남자를 만납니다. 바로 요셉입니다. 본문은 요셉이 종살이를 하다가 억울한 누명을 쓰고 옥에 갇혔을 때를 배경으로 합니다.

사실 요셉의 인생은 애매한 고난의 연속이었습니다. 형들의 질투로 노예로 팔리게 된 것부터 억울한 누명을 쓰고 감옥에 갇히게 된 것까지, 요셉 입장에서는 받아들이기 힘든 시련이었습니다.

그러나 억울하게 인생이 꼬여 가고 있음에도 불구하고 요셉은 좌절하지 않았습니다.

그에게는 하나님이 보여주신 꿈이 있었고, 하나님이 그 꿈대로 자신을 중요하게 사용하실 것임을 확고히 믿는 믿음이 있었습니다. 그래서 그는 한 순간도 희망을 버리지 않았고, 긍정적인 태도로 최선을 다해 주어진 삶을 살아갈 수 있었습니다.

그리고 그 결과, 요셉은 어디에서든 인정받는 존재가 됩니다. 보디발의 집에서는 주인의 신임을 얻어 그 집안의 모든 것을 돌보는 가정 총무가 되었고, 감옥에 갇혀서도 간수장의 신뢰 속에 감옥의 제반 사무를 맡아 처리하게 된 것입니다.

여러분, 요셉의 입장에서 한번 생각해 보십시오. 그의 상황이 여러분이 당하고 있는 현실이라고 가정해 보십시오. 요셉처럼 행동하기 쉽겠습니까?

긍정적인 태도도 한두 번이지, 원망하지 않고 주어진 상황에서 최선을 다해 살아가는데, 상황이 나아지기는커녕 더 꼬여만 갑니다. 신세는 더욱 처량해지고, 앞일은 날이 갈수록 더 막막해질 뿐입니다.

그런데도 변함없이 충성스럽게 살아갈 수 있겠습니까?

그런데 요셉은 그렇게 살았습니다. 보디발의 집에서는 종으로서 최선을 다해 종의 삶을 살았고, 감옥에 갇혀서는 죄수로서 열심히 죄수의 삶을 살았습니다. 그런 태도가 그를 다른 사람들에게 특별한 사람으로 보이게 만들었고, 신임과 인정을 얻게 해주었습니다.

우리에게도 요셉과 같은 삶의 자세가 필요합니다.

어차피 이 세상은 죄와 모순으로 가득 차 있습니다.

항상 우리가 이해할 수 있는 상황들만 우리 앞에 펼쳐지지는 않는 것입니다. 때로는 우리가 원하지 않는 방향으로 흘러가고 있는 상황 속에 던져지기도 합니다.

그러나 그때에도 우리는 비관하지 않고 최선을 다해 맡겨진 삶을 살아가야 합니다. 우리 마음에 드는 상황이라고 뛸 듯이 기뻐하고, 우리가 원하지 않던 상황이라고 한숨을 내쉬며 부정적이 된다면, 결코 성공적인 인생을 살아갈 수 없습니다.

더욱이 하나님의 소명을 이루어 드리는 삶이란, 수많은 파도를 거치면서 하나님의 뜻을 드러내기 마련인데, 일희일비하는 태도로 어떻게 우리의 사명을 완수하겠습니까?

계획대로 일이 풀리면 헤헤 거리고, 계획대로 일이 안 풀리면 낙심하고 주저앉아 파괴적인 영향력만 끼치는 사람입니까? 그런 사람은 스스로 의도하였든 그렇지 않든 종국에는 쓸모없는 사람이 되고 맙니다. 하나님의 역사와 세상의 변화 그리고 자기 자신의 발전에는 아무런 기여도 못한 채, 인생을 마감할 운명이기 때문입니다.

요셉은 긍정적이고 희망적인 생각을 가진 사람이었습니다. 그는 시련 속에서도 쾌활함을 잃지 않았고, 밝고 적극적인 마음으로 인생을 살았습니다. 그리고 그랬기에 그는 자신을 위해 구차한 변명을 늘어놓지 않을 수 있었습니다.

보디발의 아내의 모함으로 추악한 성폭력범으로 몰렸을 때, 얼마나 분하고 억울했겠습니까? 그러나 그는 별다른 말을 하지 않습니다.

물론 변명할 기회가 주어지지 않아 변명할 수 없었을 수도 있습니다. 그러나 본문의 상황은 조금 다릅니다. 요셉이 마음만 먹었다면 얼마든지 구체적으로 자신의 억울함을 호소하고, 구명을 요구할 수도 있는 상황입니다.

술 맡았던 관원장이 길한 꿈을 꾸었고, 요셉은 그것이 감옥에서 풀려나 복직하게 될 꿈임을 일러 주었습니다. 이제 3일 후면 그 사람은 바로의 옆에 서게 될 것입니다.

요셉의 입장에서는 자신의 결백을 알릴 수 있는 다시 오기 힘든 기회가 찾아온 것입니다.

그러나 자신의 구명을 요청하는 요셉의 호소는 지나칠 정도로 간단합니다. "당신이 잘 되시거든 나를 생각하고 내게 은혜를 베풀어서 내 사정을 바로에게 아뢰어 이 집에서 나를 건져 주소서 나는 히브리 땅에서 끌려 온 자요 여기서도 옥에 갇힐 일은 행치 아니하였나이다"(창 40:14~15). 구구절절 정황을 설명하며 억울함을 호소해도 누명을 벗기 어려울 판인데, 담백하기 그지없는 논변입니다.

### 사람에 대한 신의를 소중히 생각했기에

히브리 땅에서 끌려온 이유도, 옥에 갇히게 된 이유도 요셉은 입에 올리지 않았습니다.

술 맡은 관원장과의 만남이 하나님이 주신 기회라 생각하고 적극적으로 해명에 나설 수도 있었는데, 왜 현명한 요셉이 감옥에서 탈출할 수 있는 결정적인 기회를 허비하고 만 것일까요?

요셉이 구체적인 해명을 포기한 이유가 무엇인지 곰곰이 생각해 보다, 두 가지 결론에 도달했습니다. 하나는 인간적인 이유이고 다른 하나는 신앙적인 이유입니다. 그런데 이 두 가지는 별개의 것이 아니라 사실하나라고도 할 수 있습니다.

우선 인간적인 이유는 보디발에 대한 신의 때문입니다. 요셉이 누명을 벗기 위해 결백을 주장하려면, 보디발의 아내가 행한 죄를 낱낱이 밝혀야 합니다. 그러면 체면이 구겨지고 상처받는 사람이 누구입니까? 바로 보디발입니다.

요셉은 그것을 원하지 않았습니다. 자기 때문에 다른 사람의 평안한 삶의 질서가 깨뜨려지기를 원치 않았고, 더군다나 자기를 인정해 주고 믿어 주었던 보디발에게 누를 끼칠 수는 없었습니다.

요셉은 하나님과의 관계뿐 아니라 사람들과의 관계에도 마음을 쓰며 살았습니다. 수많은 종들이 있었을 보디발의 집안을 관장하고, 감옥에서 옥중 죄수를 맡아 관리할 수 있었다는 것은 요셉이 행정적 능력뿐 아니라 사람을 다루는 기술도 탁월했음을 보여줍니다.

요셉은 형들에 의해 애굽에 팔려 온 사람입니다. 아마도 이 기억이 요셉에게 사람과의 관계를 슬기롭게 꾸려 나가야 할 필요성을 강하게 깨우쳐 주었을 것입니다.

어쨌든 요셉은 인생을 아름답게 살아가기 위해서는 하나님께도 사랑받고 사람에게도 사랑받아야 함을 배운 사람이었습니다. 그래서 그는 보디발에게 피해를 입히느니, 자신의 결백을 조금 천천히 입증하는 쪽으로 마음을 굳혔습니다.

성경에는 자세히 나오지 않지만, 요셉이 국무총리에 오를 때에도 보디발이 여전히 시위대장의 자리를 지키고 있었을 가능성이 큽니다. 왕의 죄수를 가두는 옥을 집안에 따로 두고 있을 만큼 큰 신임을 받던 사람이었으니, 하려고 마음만 먹었다면 요셉의 임용을 막을 수도 있었을 것입니다.

그러므로 보디발과의 관계를 지킨 요셉의 행동은 오히려 지혜로운 처신이었지 결코 어리석은 것이 아니었습니다.

다음으로 신앙적인 이유를 살펴보겠습니다. 요셉이 구구절절한 해명을 포기한 또 하나의 이유는 하나님의 일하고 계심을 믿었기 때문이었습니다.

그에게는 해와 달과 열한 별이 절을 하는 꿈이 있었습니다.

그는 어떤 위기와 난관이 오더라도, 하나님이 그 모든 상황을 극복하고 그 꿈을 성취시켜 주실 것이라는 믿음이 있었습니다. 그래서 굳이 다른 사람에게 피해를 주면서까지 자기의 결백을 입증하려 애를 쓰지 않은 것입니다.

제가 아는 어느 목사님이 이런 고백을 하신 적이 있습니다. 어느 날 성도 한 사람이 찾아와 "목사님, 교회에 이러이러한 잘못이 있습니다. 특히 이런 부분은 목사님이 잘못하셨습니다."라고 이야기를 하더랍니다.

약간 오해하고 있는 부분도 있어서 그것은 그런 것이 아니라고 설명을 시작했는데, 이야기를 이어 가다 보니 결국 몇 사람에 대해 비난하지 않으면 안 되더랍니다. 어쨌든 대화가 마무리되었는데, 있는 사실을 그대로 이야기한 것인데도 마음이 너무나 찝찝하고, 스스로 목사로서 너무 초라한 느낌만 남았다고 합니다.

그에게 상황을 설명하려다 보니, 그가 모르고 있던 누군가의 잘못을 언급하게 되었고, 그 결과 자신에 대한 오해는 풀렸지만 교회에는 상처를 입히는 꼴이 되고 말았다는 것입니다.

그래서 깊이 후회하면서 '이제 다시는 그러지 말자. 차라리 혼자 조용히 당하는 게 낫지. 거기에서 나의 옳은 것을 입증하기 위해 애쓰지 말자.' 라고 결심했다고 합니다.

그렇습니다. 이런 경우 결백을 입증하는 것이 문제의 해결이 아닙니다. 결백을 입증한다고 그 성도의 고민과 불신이 해결되었습니까? "목사님이 안 그러셨군요. 알고 보니 그 놈이 나쁜 놈이군요." 하고 불신의 방향만 바뀌었을 뿐입니다.

차라리 묵묵히 비난을 감수했다면, 나중에 모든 것이 밝혀졌을 때 할 말이라도 있을 것입니다. 허물을 덮는 사랑으로 교회를 온전하게 세워 가자고 삶이 베인 충고를 권위 있게 던질 수 있었을 것입니다.

그런 의미에서, 본문에서 요셉이 취한 선택은 정말 탁월한 것이었습니다. 요셉은 끝까지 보디발의 입장을 배려했습니다.

여기서 우리는 한 나라를 경영할 만한 마음의 크기를 봅니다. 이미 그의 도량은 애굽의 총리에 오르기 충분할 정도로 넓었던 것입니다.

모르긴 몰라도 보디발은 모든 정황을 알게 된 후, 이전보다 더 큰 신뢰로 요셉을 밀어 주었을 것입니다.

혈혈단신의 요셉이 낯선 타국에서 국무총리의 막중한 책무를 훌륭하게 감당할 수 있었던 이면에는 성공적인 인간관계가 있었음이 분명합니다. 신의를 지키며 사람과의 관계를 소중히 여긴 그의 태도는 수많은 사람을 그의 곁으로 모았을 것이며, 그 사람들이 낯선 타국에서 요셉의 힘이 되어 주었을 것입니다.

우리말 속담에 '빈대 잡으려다 초가삼간 태운다.' 라는 말이 있습니다. 진실을 규명한다 하여 오히려 더 큰 분란을 만드는 것을 경계하라는 의미입니다.

당장 자신의 억울함을 푸는 데 급급하여, 자신이 속한 공동체에 상처를 내고 있지는 않습니까? 나중에 내 편이 되어 줄 소중한 친구를 적으로 만들고 있지는 않습니까?


## 요셉도 처음에는

누구도 태어날 때부터 넓은 마음을 갖고 태어나지는 않습니다. 요셉의 큰 도량도 결코 타고난 것이 아닙니다.

형들은 아무 이유 없이 요셉을 미워한 것이 아닙니다. 요셉은 아버지의 총애를 한 몸에 받았을 뿐 아니라, 고자질에도 능했습니다. 그러니 형들 입장에서는 얼마나 얄밉겠습니까? 아버지의 편애도 억울한데, 잘못한 일들까지 일러바쳐 아버지와의 사이를 벌려 놓으니 곱게 보였을 리 없습니다.

그런데 그랬던 요셉이 180도 달라졌습니다. 고난을 거치며 다른 사람의 입장을 헤아릴 수 있게 된 것입니다. 애굽에서 발견된 고고학 자료에 의하면, 요셉의 시대에 공무를 담임할 수 있었던 최소 연령이 30세였다고 합니다. 법적으로 30세가 넘지 않은 사람은 공직에 취임할 수 없도록 명문화되어 있었던 것입니다.

그런데 요셉이 바로를 만나 그의 신임을 얻고 총리가 된 나이가 바로 30세였습니다. 17세 때 형들에 의해 팔렸으니 꼬박 13년간을 하나님의 섭리 속에서 단련을 받았던 셈입니다.

13년 동안 하나님은 형제들에게조차 미움 받던 철없는 고자질쟁이의 삶의 태도를 고치셨고, 보디발의 집에서 감옥까지 두루 거치게 하시며 총리로서의 자질을 갖추게 하셨습니다. 그러나 그 모든 계획은 때가 이르러 자연스럽게 드러나기 전까지 철저하게 감추어져 있었습니다. 요셉에게조차 그 모든 계획은 가려져 있었던 것입니다.

하나님의 의도를 알 수 없었으나, 요셉은 하나님을 신뢰하며 섭리에 자신을 맡겼습니다. 비관적인 상황이 펼쳐졌지만, 상황을 바라보며 비관하는 대신 하나님을 바라보며 낙관했습니다. 그렇게 최선을 다해 주어진 삶을 살아 낸 결과, 요셉은 30세에 온 애굽을 치리할 만한 배포와 식견을 소유하게 되었습니다.

성경을 보십시오.

요셉의 사람 됨의 깊이와 크기가 얼마나 놀랍습니까?

요셉은 바로의 꿈을 해석하며 일곱 해 풍년이 들고 일곱 해 흉년이 든다는 사실만 예견하지 않습니다. 그는 풍년의 때에 어떻게 곡식을 관리하여 흉년에 대비해야 하는지 구체적으로 제시합니다.

요셉은 자신이 애굽의 총리가 되는 일이 자기 개인의 영달을 위한 일이 아님을 알았습니다. 그는 애굽뿐 아니라 더 넓은 세계의 수많은 사람들의 생명을 부지하게 하기 위하여 하나님이 자기를 선택하셨음을 알았습니다. 그래서 세계를 끌어안는 정신으로 애굽을 치리하고, 기근으로 허덕이는 세상을 구제해 나갑니다.

이런 놀라운 일을 도모한 요셉이 결코 처음부터 비범했던 사람이 아니었음을 명심하십시오. 그 역시 우리와 똑같이 이기적이고, 옹졸한 사람이었습니다.

그러나 하나님을 신뢰하며 하나님의 섭리에 자신을 온전히 맡기자, 놀라운 변화가 일어났습니다. 하나님이 하나님의 계획에 합당한 존재로 바꾸어 주셨던 것입니다.


## 마음의 크기

어릴 적에는 형들의 마음도 헤아리지 못하고 고자질과 자랑을 일삼던 아이였습니다. 그래서 그는 마땅히 사랑받아야 할 형제들로부터 제대로 사랑받지 못했습니다.

요셉이 형제들로부터 미움을 받았던 것은 형들의 아량이 좁았던 탓도 없지는 않지만, 요셉 또한 형들의 입장을 헤아리는 아량이 없었기 때문이기도 합니다.

마음이 좁은 사람은 원만한 인간관계를 맺기 힘듭니다. 사람은 누구나 마음이 큰 사람 곁에서 편안함을 느끼고, 마음이 큰 사람 곁에 머물고 싶어하기 때문입니다.

제가 직장생활을 하던 때의 일입니다. 우체국에서 일했는데, 공직 생활을 하는 사람에게 가장 무서운 것이 감사입니다. 감사에서 무엇인가 지적을 당하여 징계를 받게 되면, 승진에 지장을 받게 됩니다. 심한 경우 파면까지 당할 수 있어, 감사 기간에는 모든 직원들이 긴장 상태가 됩니다.

경력이 오랜 사람들도 긴장하기 마련이니, 처음 감사를 받는 신입직원이야 오죽하겠습니까? 창구에서 일하는 젊은 여직원들은 평소 잘하다가도 오히려 감사 기간에 더 많은 실수를 하기도 합니다.

그때도 마침 감사 기간이었습니다. 감사관이 서류를 검토하며 담당 직원에게 몇 가지 질문을 했는데, 처음 받는 감사라 당황한 담당 직원이 이렇게 대답했습니다. "저희 과장님이 이렇게 하라고 하셔서……." 그러자 뒤에 있던 과장이 펄쩍 뛰며 달려 나왔습니다. "아, 이 사람아! 뭔데? 내가 언제 뭐라고 그랬는데?"

별로 큰 문제도 아니었는데, 감사관 앞에서 상사와 부하 직원 간의 실랑이가 한참을 이어졌습니다.

다행히 대수롭지 않은 사항이어서 그냥 넘어갔는데, 이후 그 과장은 직장에서 상사로서의 지도력을 상실하고 말았습니다. 대놓고 그에게 뭐라고 하는 사람은 아무도 없었지만, 모두 마음속으로 그를 무시했습니다. 그의 말이나 지시가 더 이상 부하 직원들에게 영향력을 발휘하지 못하게 된 것입니다.

반면에 이런 경우도 있었습니다.

타부서에서 있었던 일인데, 거기의 부서장은 무례한 사람으로 악명이 높았습니다. 그는 일이 바쁠 때 사적인 전화가 걸려 와서 직원을 찾으면, 전화를 돌려 주는 대신 이렇게 말했다고 합니다. "그 사람 죽었습니다. 전화하지 마십시오." 그러니 직원들 입장에서 얼마나 황당하겠습니까?

실제로 부하 직원 개개인에 대해서도 무관심한 편이어서, 항상 이름조차 헷갈려 했습니다.

그런데 신기한 것은 그럼에도 불구하고 그 부서장에 대한 부하 직원들의 신망은 매우 두터웠습니다. 우리 부서장은 우리에게 작은 배려도 안해 준다고 투덜대면서도, 그 부서는 부서장의 말 한 마디에 일사분란하게 움직였습니다.

비결은 감사 기간에 보여주는 지도력이었습니다. 감사가 나오는 날 아침이면, 그 부서장은 이렇게 말한다고 합니다. "그 동안 고생 많았다. 모두 열심히 일한 것 내가 안다. 혹시 감사를 받다가 문제가 생기거나, 미처 생각지 못한 실수가 나타나거든, 나한테 미뤄라. 나머지는 내가 책임진다. 옷을 벗어도 내가 벗고, 사표를 써도 내가 쓴다. 그러니 감사 나온다고 긴장하지 말고, 평소처럼 그냥 일하면 된다."

사실 감사에서 지적을 당한다는 것은 분명한 서류적 근거가 있는 잘못이 발견되었다는 것입니다. 서류적 근거가 명확하게 누구의 잘못인지 가리키고 있을 텐데, 개인이 나서서 "모두 제 책임입니다." 한다고 해서 그 사람의 책임이 되겠습니까? 부서장으로서, "내가 다 책임을 지겠다. 너희는 안심해라." 말은 할 수 있지만, 실제로 자신이 저지르지도 않은 일에 책임을 지고 억울하게 징계를 당하는 일은 일어나지 않는다는 것입니다. 대신 책임져 줄 수 있는 문제는 기껏해야 작은 실수 정도입니다.

그러나 자신있게 이렇게 말할 수 있는 사람은 많지 않습니다. 이렇게 말할 수 있는가 그렇지 않은가는 그 사람의 마음의 크기에 달린 문제이기 때문입니다.

"문제가 생기면 나에게 미뤄라. 모두 내가 책임지겠다."는 말이 그 실제적 효력과 상관없이, 듣는 이에게 무한한 감동으로 다가오는 이유는 그것이 큰 마음을 가진 사람의 말이기 때문입니다.

마음이 큰 사람 곁에서 사람들은 암탉의 날개 아래 숨은 병아리들처럼, 안전함과 편안함을 느낍니다. 그리고 그 사람과 함께 큰 마음의 사람으로 자라갑니다.

그래서 한 사람이 인생을 살아갈 때 마음과 정신의 크기가 작으면 옹졸한 기회주의자들만 주위에 꼬이고, 마음과 정신의 크기가 크면 올곧고 너그러운 사람들이 주위에 모입니다.


## 차라리 억울한 편이 낫다

사랑은 허물을 덮습니다.

그런데 생각해 보십시오. 허물을 덮으면 어떻게 합니까? 명명백백 드러내어 고치는 것이 옳지 않습니까?

그러나 성경은 허물을 덮어 주라고 말합니다. "무엇보다도 뜨겁게 서로 사랑할지니 사랑은 허다한 죄를 덮느니라"(벧전 4:8).

사도 바울 역시 같은 맥락의 권고를 합니다. "너희가 피차 고발함으로 너희 가운데 이미 뚜렷한 허물이 있나니 차라리 불의를 당하는 것이 낫지 아니하며 차라리 속는 것이 낫지 아니하냐"(고전 6:7).

바울은 성도들에게 세상 법정에서 성도들끼리 소송하지 말라고 당부합니다. 차라리 억울한 일을 당하는 것이 낫지, 하나님의 판결을 받아야하는 성도들이 서로 고소하여 세상의 판결을 받고자 하는 것은 부끄러운 일이라는 것입니다.

성경이 이렇게 말하고 있는 이유는 무엇입니까?

진상을 규명하는 것보다 더 중요한 것이 있기 때문입니다. 진상을 규명하는 일이 많은 사람들을 상처 입히고, 공동체성을 훼손하는 일이라면, 그냥 덮는 것이 낫습니다.

이것이 하나님이 우리에게 가르쳐 주신 지혜입니다. 차라리 조금 억울한 편이 낫습니다. 내가 다소 손해를 보더라도, 다른 사람을 상처 입히고 주위에 피해를 끼치는 일은 하지 않는 것, 그것이 바로 사랑이기 때문입니다.

요셉을 보십시오.

요셉이라고 고난이 쓰지 않았겠습니까? 하나님을 향한 굳은 믿음이 있는 사람에게도, 인생의 고난은 괴롭기 마련입니다. 요셉의 큰 아들의 이름은 '므낫세' 입니다. '므낫세' 라는 말의 뜻은 '잊어버리고 싶다' 입니다. 애굽에서의 생활이 달콤한 것이었다면, 첫 아들을 얻은 감격을 이런 식으로 표현하지는 않았을 것입니다. 오죽하면 그 기쁨과 감사의 순간에 '므낫세' 라는 단어를 떠올렸을까요?

요셉에게도 복받치는 서러움과 뼈를 깎는 억울함이 있었습니다. 그러나 요셉은 그것을 덮었습니다. 자신이 그런 고난 속에 있게 된 이유를 다른 사람에게서 찾지 않고, 하나님의 섭리 안에서 찾으려 애썼던 것입니다.

물론 이것은 쉬운 일이 아니었을 것입니다. 요셉이라고 형들이 원망스럽지 않았겠습니까? 억울한 누명을 씌운 보디발의 아내가 밉지 않았겠습니까?

그러나 요셉은 미움을 미움으로 갚으면, 남는 것은 상처밖에 없음을 알았습니다. 술 맡은 관원장에게 구명을 호소하면서 아마도 요셉은 이런 생각을 했을 것입니다. '내가 좀 억울할지언정, 나를 보살펴 준 보디발에게 누가 돌아가게 하지는 말자.'

우리가 살면서 꼭 기억해야 할 사실 하나는 세상은 '옳고 그름' 만을 가지고 움직이는 곳이 아니라는 것입니다. 세상을 살다보면 '옳고 그름' 이 묵살되는 때도 있습니다.

요셉의 사건도 보십시오.

보디발의 아내와 요셉 사이의 시시비비가 공식적으로 가려진 것이 아닙니다. 그럼에도 원만한 결과가 도출되기도 하는 것이 우리의 인생입니다.

그러므로 시시비비를 가리는 데 너무 안달복달하지 마십시오. 우리의 힘으로 되는 일이라면 최선을 다해서 옳은 것을 추구해야 하겠지만, 그렇지 않으면 하나님께 맡기십시오. 하나님이 필요하시면 드러내실 것이고, 그렇지 않으면 덮으실 것입니다.

물론 어떤 분들은 여기에 동의하고 싶지 않을 것입니다. "아니요. 저는 성격상 절대 그렇게 못합니다. 밝힐 것은 밝히고, 풀 것은 풀어야지요." 이런 항변이 목구멍까지 차 올라 견딜 수가 없는 분들에게 묻겠습니다. 이것이 과연 성격의 문제일까요? 혹시 하나님의 은혜가 부족해서는 아닐까요?

요셉의 관대함과 아량은 하나님이 요셉에게 은혜를 부어 주셨기에 가능한 일이었습니다. 하나님이 결백을 아시기에, 사람이 몰라 주는 것을 참을 수 있었습니다. 하나님이 놀라운 위로를 베푸셨기에, 사람에 대한 원망과 미움을 지울 수 있었습니다.

그래서 요셉은 후에 형들을 만났을 때 이렇게 고백합니다. "당신들은 나를 해하려 하였으나 하나님은 그것을 선으로 바꾸사 오늘과 같이 많은 백성의 생명을 구원하게 하시려 하셨나니 당신들은 두려워하지 마소서 내가 당신들과 당신들의 자녀를 기르리이다 하고 그들을 간곡한 말로 위로하였더라"(창 50:20-21).

## 은혜로 사는 후천적 낙천주의자

하나님의 은혜는 교회에서 봉사할 때만 필요한 것이 아닙니다. 직장생활을 하면서도, 가정에서도 하나님의 은혜가 필요합니다. 하나님의 은혜 없이는 예수 그리스도의 사랑을 나타내 보여줄 수가 없기 때문입니다.

하나님과의 관계가 올바르지 않으면 사람과의 관계도 올바를 수 없고, 사람과의 관계가 올바르지 않으면 행복한 삶도 없습니다. 그러므로 하나님의 은혜는 우리의 인생의 필수불가결한 자원입니다.

은혜는 우리의 시야를 넓혀 주고, 우리의 마음을 키워 주며, 우리의 사고를 낙관적으로 바꿉니다.

흔히 낙천주의자라고 하면 생각이 없고 가벼운 사람을 떠올리는데, 그것은 선천적 낙천주의자에게 국한된 견해입니다. 선천적 낙천주의자라고 모두 그런 것은 아니지만, 처음부터 낙천적인 성품을 타고난 사람들은 일반적으로 깊이 고민하거나 신중하게 처신하는 데에 소홀한 경향이 있습니다. 그런 사람들에게 깊은 인생관이나 사상 등을 기대할 수는 없습니다.

그러나 하나님의 은혜를 많이 받아 후천적으로 낙천주의자가 된 사람들은 다릅니다. 후천적 낙천주의자들은 대개 인생에서도 큰 성공을 거둡니다. 그들은 별로 즐거워할 일이 없을 것처럼 보이는 삶의 상황 속에서도 기뻐합니다. 고난이 와도 그 속에서 무엇인가 인생의 의미를 깊이 성찰하고 소망을 발견하기 때문입니다.

하나님의 은혜를 끊임없이 받으며, 그 은혜를 자신 속에 간직하고 살아가는 사람은, 상대방을 꺾기보다는 자기를 꺾으려 합니다. 이것이 진정한 후천적 낙관론자입니다.

눈앞에 아무 증거가 보이지 않지만, 믿음으로 걸어가기 때문에 소망 가운데 살아갈 수 있는 사람, 구차한 변명 대신 십자가를 지는 마음으로 모든 책임을 스스로 떠 안는 사람, 모두가 자기 잇속을 챙기기에만 급급한 때에도, 다른 사람의 형편을 돌아볼 줄 아는 큰 마음의 사람, 그가 바로 요셉과 같은 사람이며 은혜로 사는 사람입니다.

그리고 하나님은 물론 사람에게도 사랑받을 수밖에 없는 사람입니다.

**제9장**

# 배우려는 사람

"미련한 자는 자기 행위를 바른 줄로 여기나
지혜로운 자는 권고를 듣느니라"

잠 12:15

성장한다는 것은 살아 있다는 유일한 증거다(뉴먼, John Henry Newman).

## 인간은 발전 가능한 존재

어떤 일을 할 때, 훌륭하게 잘 준비된 상태로 임하는 것만큼 아름다운 것은 없습니다. 맡겨질 자리에 걸맞는 역량을 보유하였다는 것은, 일하는 그 사람은 물론 그와 함께 일하는 다른 사람들에게까지 복된 일이기 때문입니다.

그러나 하나님은 능력에 맞는 일만 맡기시지 않습니다. 때로는 우리의 능력에 넘치는 일도 맡기셔서 그 일과 함께 발전해 나가도록 하십니다. 실제로 우리 역시 충분히 해낼 수 있는 일보다는 그 동안의 한계를 뛰어넘는 일에 매력을 느낍니다.

그런데 막상 능력에 넘치는 일을 맡아 하다 보면, 그것이 생각보다 훨씬 더 힘겨운 작업임을 실감하게 됩니다. 그러면 하나님은 대체 왜 깜냥에 넘치는 일을 맡기기도 하시는 것일까요? 사람에게 각각의 깜냥에 맞는 일들만 맡기시면, 시행착오 없이 원활하게 모든 일들이 굴러갈 텐데 말입니다.

이것은 인간 스스로 하나님의 도움이 필요한 존재임을 자각하게 하시기 위함이며, 하나님이 맡긴 일들을 얕잡아 볼 수 없도록 만드시기 위한 배려입니다. 그러나 그것보다 더욱 중요한 이유가 있습니다. 바로 사람으로 하여금 끊임없이 발전하게 하고자 하심입니다.

한 사람을 평가하는 데 있어 이미 갖추어진 실력보다 더 중요한 것이 끊임없이 무엇인가를 배워 나가면서 성장해 가고 있는가 하는 것입니다. 많은 지식을 가지고 있지만 더 이상의 진전이 없는 사람과 별로 지식이 많지 않지만 계속 진전하고 있는 사람 중 더 가치있는 사람은 후자입니다. 지금은 현격한 격차가 있다 할지라도, 머지않아 후자가 전자를 능가할 것이 분명하기 때문입니다.

학습 이론에 있어서 학습을 촉진시키는 가장 중요한 변수는 선생님도 아니고 교재도 아닙니다. 학습자의 배우려는 마음, 그것이 학습의 성과를 좌우합니다. 열심히 배우려는 범재가 배우려 하지 않는 천재보다 낫습니다.

옛 선인들의 글을 읽으며 감탄할 때가 있습니다. 책도 거의 없었고, 컴

퓨터도 없어 정보 습득도 쉽지 않았으며, 교통 수단이 발달되지 않아 경험의 폭도 얕았을 그 시절에 얼마나 치열하게 공부를 했기에 이런 안목과 식견을 가지게 되었을까요? 그 비결은 끊임없이 배우고자 하는 열정입니다.

하나님은 인간을 발전 가능한 존재로 창조하셨습니다. 그래서 배우고자 하는 마음만 있으면 모든 것에서 깨달음을 얻을 수 있습니다. 하지만 배우고자 하는 마음이 없으면 최고의 선생님과 최상의 교재가 있다 한들, 모두 부질없습니다. 배우려 하지 않는 사람에게는 발전도 없는 것입니다.


## 배우려는 사람이 사랑을 얻는다

배우고자 하는 사람은 끊임없이 성장합니다. 끊임없이 발전하고 성숙해 가기에 사람들은 배우려는 사람을 좋아합니다. 아니, 좋아할 수밖에 없습니다. 날마다 발전하는 모습을 바라보는 것은 즐거운 일이기 때문입니다.

화초를 가꾸는 것을 보면, 보통 수고로운 일이 아님을 알 수 있습니다. 그런데 그 일을 좋아하는 사람들은 힘든 줄 모르고 날마다 정성스레 화초를 보살핍니다. 왜 그렇게 공을 들이는지 물어 보면, 한결같은 대답이 돌아옵니다. 매일 조금씩 자라나서 꽃을 피우고 열매를 맺고 하는 것이 그렇게 사랑스러울 수가 없다는 것입니다.

이것은 비단 화초만의 이야기가 아닙니다. 사람도 마찬가지입니다. 날마다 발전하는 것, 날마다 어제보다 나은 사람이 되어 가는 것, 그것이 삶에 대한 예의입니다. 그것이 살아 있음에 대한 증명인 것입니다. 주어진 삶을 열심히 살아가며, 날마다 조금씩 자라가는 사람을 어느 누가 사랑하지 않을 수 있겠습니까?

제 인생에 여러 선생님이 계셨지만, 오래도록 기억에 남는 선생님은 몇 분 되지 않습니다. 그런데 돌아보면 그 몇 분의 영향이 저를 만들었다고 해도 과언이 아닙니다. 특별한 사랑의 관계 속에서 끈끈한 유대를 맺었던 선생님으로부터 받은 영향력은 한 사람의 인생 전반에 미치는 막중한 것입니다.

그런데 재미있는 사실이 하나 있습니다. 바로 그 몇 분의 선생님들의 공통점입니다. 그 분들은 모두 제가 좋아하는 과목의 선생님이셨습니다. 선생님이 좋아서 그 과목을 좋아하게 되었는지, 그 과목이 좋아서 그 선생님을 좋아하게 되었는지 저조차 알 수 없지만, 한 가지 분명한 것이 있습니다. 그 선생님들이 저를 사랑하게 된 이유는 저에게 열심히 배우려는 열의가 있었기 때문이라는 사실입니다.

몇 년 전, 고등학교 때 영어 선생님을 30여 년 만에 만났습니다. 사실 저는 고등학교 시절, 그리 주목받는 학생이 아니었습니다. 성적도 평범했습니다. 그런데 영어는 너무나 재미있었습니다. 영어가 너무 즐거워서, 구할 수 있는 대로 영자신문이나 영어책을 구해 읽었습니다.

그런데 그러다 보니 어딘가 물어볼 곳이 필요했고, 그 선생님을 찾아가게 되었습니다. 당시 통금 시간도 있던 때인데, 밤 10시까지 길에 서서 선생님이 지나가시기를 기다려 본 적이 있습니다. 비가 와도, 겨울의 칼바람이 불어도, 모르는 것이 있으면 선생님에게 달려갔습니다.

그러니 선생님의 입장에서 어린 제자가 얼마나 귀여우셨겠습니까? 퇴근하시는 선생님을 붙들고 가로등 보안 등불 밑에서 수시로 이것저것을 물어보았었는데, 선생님은 한 번도 귀찮아 하시거나 짜증을 내신 적이 없습니다. 30여 년이 지나 그 분과 연락이 닿았는데, 선생님은 저를 또렷하게 기억하고 계셨습니다. 그 분은 제 기억보다 더 자세히 그 시절의 저를 알고 계셨습니다.

직장에서도 배우려는 사람이 사랑을 받습니다. 상사들이 정말로 좋아하는 부하 직원은 다른 직장에서 일을 많이 배워 와서 무엇을 시켜도 척척 해내는 사람이 아닙니다. 그런 부하 직원도 좋기야 하지만, 더 마음이 가는 사람은 조금 모자라는 것이 있어도 상사가 가르쳐 주는 대로 열심히 배우려 하는 직원입니다.

그래서 직장에서 가장 미움을 받는 사람이 별로 실력도 없으면서 자기 방식만 고집하며 배우려 하지 않는 사람입니다. '나는 아무 눈치도 안 봐. 나는 누구에게 굽히는 거 싫어. 나도 배울 만큼 배웠거든. 나도 알 만큼 알거든.' 하는 태도로 사는 사람을 기개 있게 봐 주는 회사는 없습니다.

사람은 죽을 때까지 배워야 하는 존재입니다. 그러므로 이런 태도는 파괴적인 만행이 아닐 수 없습니다. 회사가 어려울 때 정리 해고 대상

1호가 이런 사람들입니다. "자네는 우리 회사에 너무나 필요한 사람이지만, 회사가 어려워 어쩔 수 없네. 나도 오래도록 자네와 함께 있고 싶었는데, 이런 말을 하게 되어 안타깝네." 여기까지는 다 거짓말입니다. 진실은 마지막 한 마디 "회사 사정이 어려우니, 자네가 떠나 주어야겠네." 이 말뿐입니다.

그런데 어리석게도 그들은 그것을 모릅니다. 때를 잘못 만났고, 운이 없고, 회사를 잘못 선택해서 자신이 어려움을 겪고 있는 것이라고 생각합니다. 사랑받지 못하고 인정받지 못하는 이유를 자기 안에서가 아니라, 자기 바깥에서 찾는 것입니다.


## 발전, 삶에 대한 예의

우리의 삶의 태도는 진리가 아닙니다. 융통성 있게 상황에 맞는 처신을 할 줄도 알아야 하고, 잘못된 부분은 고쳐 나가기도 해야 하는 것입니다. 그런데 많은 사람들이 '나는 타고난 성격이 그래.' 하고 옳지 못한 태도를 올곧게 견지해 나갑니다.

이것은 쓸데없는 오기 아니면 개선의 노력을 회피하고 싶은 게으름입니다. 누구나 내 맘대로 내 식대로 살아가는 것이 좋습니다. 그러나 그렇게 자신의 판단과 고집이 이끄는 대로 살아가면, 발전할 수 없습니다.

그런데 더 슬픈 것이 있습니다. 바로 그렇게 살면 어디에서도 환영받을 수 없다는 것입니다.

직장생활을 하다보면, 부서를 이동한다든가 전근을 간다든가 하는 경우가 생깁니다. 그러면 다른 곳으로 떠나는 동료를 배웅하는 차원에서 회식을 하는데, 그때 저녁식사에 나온 사람들의 숫자가 그 사람의 덕을 입증합니다. 어떤 사람은 그렇게 먼 데 가는 것이 아닌데도, 사람들이 많이 모입니다. 그런데 어떤 사람은 지방으로 발령을 받아 위로와 인사가 꼭 필요한 경우인데도, 별로 모이지 않습니다.

무슨 차이입니까? 음식점이 메어질 정도로 많이 온 사람은 끊임없이 삶의 태도를 고쳐 가며 원만한 인간관계를 쌓아 간 사람입니다. 아무도 처음부터 배려나 용납 등의 태도를 갖고 태어나지 않습니다. 사람들과 부대끼고 살아가면서 배우는 것입니다. 스스로 좀 더 좋은 사람이 되어가려고 노력하는 사람만이 인생의 지지자를 얻습니다.

다른 사람의 삶을 존중하지 않고 제멋대로 산 사람은 바리바리 보따리를 들고 방석까지 위태롭게 이고 사무실을 나서도 아무도 짐을 나누어 들어 주지 않습니다. 그러나 좀 더 옳은 삶의 태도로 살아가고자, 좀 더 바람직한 자세로 타인을 대하고자 애쓰며 살아온 사람은 2층에서 3층으로 자리를 옮기는데도 눈물의 배웅을 받습니다.

우리가 다른 사람들로부터 받는 대우는 우리의 삶의 태도가 빚어 낸 결과입니다. 사람들로부터 소중히 여김 받기 원한다면, 먼저 그들에게 소중한 존재가 되어야 합니다. 은혜를 많이 받아도, 삶의 태도가 잘못되어 있어, 사람과의 관계가 틀어지기 일쑤라면, 은혜는 그 서러움을 덮는데 다 소진됩니다. "하나님, 제 인생은 너무 외로워요. 사람들이 저만 싫어해요." 하고 한탄만 하는 사람은 세상에서 상처 받고 하나님의 위로로 다시 일어나는 일만 반복하며 살다가 인생을 다 보내고 맙니다.

여러분은 어떻습니까? 날마다 더욱 발전하려는 태도로 살고 있습니까? 고쳐야 할 삶의 태도가 있다면 고치고, 더 알아가야 할 것이 있다면 숨이 멎는 그 순간까지 배우겠다는 각오로 인생을 살고 있습니까?

### 스스로 사랑을 버는 사람

사소한 태도 하나가 얼마나 중요한지 모릅니다. 우리는 삶의 태도에 따라 매를 벌기도 하고, 사랑을 벌기도 합니다. 그런데 스스로 사랑을 버는 사람도 있습니다.

몇 년 전, 어떤 과목의 전문적인 지식이 필요해서 과외 선생님을 구했습니다. 마침 제가 잘 아는 신학 교수님의 딸이 전공자이고 시간도 된다고 해서 주 1회 함께 공부하기로 했습니다. 그렇게 8개월 정도 강의를 받았는데, 제가 시력이 안 좋다 보니 얼굴을 또렷하게 기억하고 있지 못했나 봅니다.

부산에 교사 강습회를 인도하러 내려갔다가 그 자매를 다시 만났는데, 찾아와 반갑게 인사하는데도 처음에는 누군지 알아보지 못했습니다. 나쁘게 생각하면 충분히 섭섭할 수 있는 일인데, 그 자매는 전혀 그런 기색 없이 차근차근 자기가 누구인지 기억나도록 설명해 주고 공손하게 인사를 했습니다.

1년 정도 후 그 자매의 아버님과의 인연으로 그 자매의 결혼 소식을 듣게 되었는데, 그때 미안했던 일이 생각나 특별히 화환을 보내 축하해 주었습니다.

　　그리고 잊고 있었는데, 얼마 전 신학 포럼에 초청을 받아 부산에 다시 가게 되었습니다. 강연을 마치고 나오는데, 낯선 청년이 다가와 "안녕하십니까? 김남준 목사님이시죠?" 하고 말을 걸었습니다. 그래서 누구인지 물어봤더니, 그 자매의 남편이었습니다. 그러면서 봉투 하나를 주는데, 열어 보니 결혼식 때 찍은 사진 두 장과 정성스런 메모가 담긴 카드가 있었습니다. 자신이 직장 때문에 직접 만나러 올 수 없자, 남편에게 점심시간을 이용해 찾아가 달라고 부탁을 했던 것입니다.

　　비행기 안에서 "목사님이 저의 기쁜 날에 보내 주신 꽃은 저에게 말할 수 없이 큰 기쁨이요 감사의 제목이 되었습니다. 8개월 남짓 목사님과 공부할 때 주셨던 신앙적인 가르침이 아직까지 제 마음에 남아 있습니다. 항상 기억하겠습니다. 참 감사합니다."라고 적힌 카드를 읽는데, 마음이 참 따뜻했습니다.

　　그리고 그 자매에 대해서도 '참 사랑스러운 사람이구나.' 하고 감탄했습니다. 가르치는 입장으로 저와 만났었는데 제가 무심코 한 이야기도 흘려 듣지 않고 있었다는 것이 대견스러웠고, 그 인연을 소중히 생각하며 보통은 그냥 넘어가 버리는 일에도 특별히 감사의 마음을 전하는 태도가 사랑스러웠습니다.

　　그러나 모든 사람이 그렇게 사랑스러운 태도로 좋은 관계를 발전시키는 것은 아닙니다. 제가 쓴 여러 권의 책 중 『하나님의 도덕적 통치』라는 책이 있습니다. 신학적인 내용들과 함께 철학적 이야기들도 함께 섞여 있어서 독자들에게는 좀 읽기 어렵다는 평을 받고 있는 책입니다.

그렇지만 저는 그 책을 참 좋아합니다. 독서에 관한 저의 생각은 이렇습니다. 읽는 책마다 모두 이해할 수 있고 무릎을 치게 한다면 그 사람은 독서를 통해 발전하기 어렵습니다. 오히려 책을 읽은 후에도 이해되지 않는 부분들이 있어서 탐구하게 만드는 독서가 그를 발전시킨다고 생각합니다. 이미 있는 맹물에 또 다른 맹물을 부어 봐야 농도가 진해질 리 없듯이, 자신이 이미 다 알고 있고 이해하는 내용들만 전해 주는 책이라면 그것이 어찌 책 읽는 사람을 발전시킬 수 있겠습니까?

어린 아기들은 묽게 끓인 죽도 간신히 받아 먹습니다. 그것도 소화시키기가 쉽지 않기 때문입니다. 그러나 점점 성장하면서 계란도 먹고, 질긴 고기도 먹으면서 어른이 되어 갑니다. 우리의 신앙을 성숙하게 하는 영적 독서도 이와 같아야 한다고 생각합니다.

그런데 『하나님의 도덕적 통치』를 읽었다고 주장하는 어떤 사람이 우연히 만난 저에게 도전적인 태도로 이렇게 물었습니다. "목사님 이 책, 도대체 누가 읽으라고 쓰신 겁니까? 이런 어려운 책을 이해할 사람이 얼마나 될까요?" 저는 바른 대답으로 그 사람의 마음을 상하게 하고 싶지 않았습니다. 그래서 대놓고 말하지는 않았지만, 속으로 이렇게 혼자 중얼거렸습니다. "확실한 사실이 있습니다. 그것은 내가 당신 읽으라고 그 책을 쓴 것은 아닙니다."

똑같이 책을 읽다가 잘 모르는 내용이 나왔을 때 그 사람처럼 반응하는 사람도 있지만, 또 다른 태도로 반응하여 관계를 좋게 하는 사람들도 있습니다. 어떤 사람은 그 책에 줄을 쳐 가지고 와서 저자인 저에게 묻습니다. "목사님, 제가 두 번 세 번 읽어도 이 부분은 이해가 잘 안 됩니다. 이 부분을 좀 설명해서 가르쳐 주실 수 있겠습니까?" 그러면 저자인 저는 그런 질문을 기쁘게 생각하며 쉽게 설명해 줍니다.

주일 날 5번을 설교하느라고, 온 몸이 피곤해도 그런 마음으로 다가와서 진리를 알고자 도움을 청하는 사람들은 언제나 사랑스럽습니다.

### 지성의 스트레칭

한 청년이 이런 말을 했습니다. 그가 읽기에는 좀 어려운 책이다 싶었는데 은혜를 받았다기에, 자세한 소감을 물었더니 돌아온 대답이었습니다. "제가 너무 게을렀다는 것을 깨달았습니다. 평소 꾸준히 스트레칭을 해 두면 몸이 유연해서 어떤 운동이든 잘할 수 있잖아요. 지성도 그렇게 평소에 꾸준히 사용해야 한다는 것을 깨달았습니다. 평소 꾸준히 지성의 스트레칭을 했다면 좀 더 잘 이해가 되었을텐데, 갑자기 어려운 책을 이해하려니 머리에서 쥐가 나더라구요."

그 말을 듣고 웃었지만, 한편으로는 깊이 공감했습니다. 그리스도인은 몸으로만 하나님을 섬기며 살아갈 것이 아니라, 지성도 하나님께 바치며 살아야 합니다. 하나님을 알아가고, 하나님이 창조하신 만물 속에

내재된 하나님의 뜻을 배워가며 살아야 하는 것입니다.

학교를 졸업함과 동시에 배움도 끝났다고 생각하는 사람은 어리석은 사람입니다. 학교에서 배우는 것은 인생을 살아가는 데 필요한 가장 기본적인 지식일 뿐입니다. 우리는 우리에게 주어진 삶을 활용해 보다 깊고 넓고 높은 지식을 쌓아 가야 합니다.

우리가 추구해야 할 온전함은 신앙에 국한된 것이 아닙니다. 영혼은 물론 삶의 태도와 지성에 있어서도 우리는 날마다 더욱 온전해져 가야 합니다. 그것이 밥값을 하며 살아가는 삶입니다. 우리의 몸뿐 아니라 우리의 지성과 삶의 태도도 끊임없는 스트레칭으로 연마해야 함을 기억하십시오. 그렇게 자신의 전 존재에 있어서 날마다 더욱 온전해지고자 애쓰는 사람, 그가 바로 배우려는 자세로 살아가는 사람입니다.


## 인생은 끝없는 배움의 길

이 모습 이대로 주 받으옵소서
날 위해 돌아가신 주 날 받으옵소서


아마 여러분에게도 익숙한 찬송일 것입니다. 그런데 이 가사가 하나님은 우리를 이 모습 이대로 받아 주시는 분이니, 너무 애쓰지 말고 생긴 대로 살라는 의미입니까? 이 찬송이 아름다운 것은, 이것이 끊임없이 온전해지고자 몸부림치지만 아무리 노력해도 하나님 앞에 모자란 것 같아 가슴이 미어지는 사람들의 고백이기 때문입니다.

인생이 아름다운 것은 그 안에 끝없는 배움이 있기 때문입니다. 고난이 오면 고난을 통해 무엇인가를 배우고, 기쁨이 오면 기쁨을 통해 무엇인가를 배우는 사람입니까?

배움 자체는 누구에게나 달갑지 않은 일입니다. 편안히 누워 쉬는 게 좋지, 무엇인가 공부하고 연습하고 고치는 것이 뭐 그리 좋겠습니까? 하지만 배우려는 사람은 조금씩 발전해 가는 자신을 바라보며 기쁨을 누립니다. 배움은 달콤하지 않으나, 배움을 통해 달라지는 자신을 발견하는 것은 행복한 것입니다

배우려는 사람의 삶은 아무 것도 배우려 하지 않는 사람의 삶보다 치열할 수밖에 없습니다. 그러나 순간순간의 삶을 죽을 각오로 열심히 살아가는 것이 우리 그리스도인의 사명 아닙니까? 예수 그리스도의 핏값에 어울리는 삶 아닙니까?

대충대충 살아가면서 주님을 위해서 죽을 각오가 되어 있다고 말하는 것은 단지 만용일 뿐입니다. 하나님이 원하시는 것은 한 번 근사하게 죽는 것이 아니라, 죽음을 각오한 열심으로 꾸준히 살아가는 것입니다.

우리에게 꿈이 있는 한, 우리는 우리 능력보다 큰 일에 도전할 수밖에 없습니다. 그리고 우리에게 사명이 있는 한, 항상 우리가 하고 있는 일은 우리의 힘에 부칠 것입니다. 그러면 어떻게 해야 합니까? "주님, 제게 맞는 옷이 아닙니다." 하고 벗어 버린다면, 우리의 존재도 하나님의 역사도 항상 그 자리일 것입니다.

주님을 의지하며 능력을 구하고, 여러분 자신을 그 일에 합당한 사람으로 만들어 가십시오. 고쳐야 하면 고치고, 배워야 하면 배우십시오. 잘 안 되는 것이 있으면 될 때까지 해보십시오. 그래야 하나님의 나라에 기여하는 삶을 살 수 있습니다.

인생은 배움의 연속입니다. 그러나 배우려는 자세가 없는 사람은 아무 것도 얻는 것 없이 인생을 마감합니다. 어려움을 통해서도 배우고, 기쁜 일을 통해서도 배우고, 위기 속에서도 배우고, 시련 속에서도 배우고, 칭찬 받을 때도 배우고, 꾸중을 들을 때도 배워서, 어제보다 오늘이 더 나은 사람이 되십시오.

하나님은 이미 우리를 데려가실 날을 정해 놓으셨습니다. 그 제한된 시간을 잘 살다 가려면 오늘보다 내일이, 내일보다는 모레가 더 나아져야 하지 않겠습니까?

미련한 자는 자기의 행위가 바르다고 생각하고 아무 것도 고치려 하지 않고 어느 것도 배우려 하지 않습니다. 그러나 지혜로운 자는 끊임없이 하나님의 권고를 들으며 배워 나갑니다.

마지막 눈 감는 그 순간까지 배우며 살아갑시다. 그래서 우리 모두 마지막 눈 감는 그 순간, '아! 내가 그 동안 그렇게 알고자 애썼던 하나님을 이제 온전히 알아갈 수 있겠구나. 이제 그 완전한 진리를 누리며 쉴 수 있겠구나.' 하고 고백할 수 있기를 소원합니다.

제10장

# 베풀려는 사람

"너그러운 사람에게는 은혜를 구하는 자가 많고
선물을 주기를 좋아하는 자에게는 사람마다 친구가 되느니라"

잠 19:6

생각이 너그러운 사람은 봄바람이 만물을 따뜻하게 기르는 것과 같으니 모든 것이 이를 만나면 살아난다(『채근담』, 菜根譚).

진정으로 너그러운 사람은 참으로 현명한 사람이다. 사랑하는 마음 없이 너그러울 수 없고 너그럽지 못한 자는 축복을 마다하는 사람이다(호라티우스, Quintus Horatius Flaccus).

하나님은 너그러운 생각을 축복하시고 너그러운 말을 하는 사람을 기뻐하시며 진리를 알고 너그럽게 행동하는 사람과 동행하신다(휘티어, John Greenleaf Whittier).

## 너그러움이 주는 기쁨

저는 늘 구원 이외에는 어떤 것도 거저 받기를 좋아하지 말라고 이야기합니다. 정당한 대가를 치르지 않고 무엇인가를 획득하는 것은 결코 수지 맞았다고 좋아할 일이 아닙니다. 무턱대고 공짜를 바라다 보면, 정말 소중한 무엇인가를 잃어버리게 될 수도 있기 때문입니다.

그러나 이런 저에게도 선물을 받는 것은 반갑고 기쁜 일입니다. 그 안에 담긴 호의와 정성이 마음을 따뜻하게 하기 때문입니다.

언젠가 젓가락을 선물로 받은 일이 있습니다. 젓가락이 없어 밥을 못 먹고 있는 것도 아니었고, 예쁜 젓가락으로 먹으면 밥맛이 더 좋다고 생각하는 사람도 아니기에, 물건 자체는 저에게 그리 요긴한 것이 아니었습니다.

그러나 나에게 소용이 있는가 없는가를 떠나, 저는 그 선물이 매우 기뻤습니다. '이것을 고르느라 얼마나 고민을 했을까? 얼마나 발품을 팔며 돌아다녔을까?' 떠올려 보니 그것만으로 충분하다고 생각되었습니다.

누구에게 선물을 하려고 하면 거기에 쓰이는 비용도 마음 쓰이지 않는 것이 아니지만, 도대체 뭘 선물해야 할지 정하는 것도 보통 수고스러운 일이 아닙니다.

선물을 고른다는 것 자체가 많은 정성과 수고를 필요로 하는 일임을 알기에, 선물을 보면 일단 고마운 마음이 듭니다. 공짜를 좋아하는 것과는 상관없이, 나에 대한 호의로 그러한 모든 수고로움을 기꺼이 치렀다는 사실만으로도 기분이 좋은 것입니다.

그래서 잠언은 선물의 유익을 다음과 같은 경구로 가르칩니다. "선물은 그의 길을 넓게 하며 또 존귀한 자 앞으로 그를 인도하느니라"(잠 18:16), "너그러운 사람에게는 은혜를 구하는 자가 많고 선물을 주기를 좋아하는 자에게는 사람마다 친구가 되느니라"(잠 19:6).

성경이 말하는 바가 무엇입니까? 선물은 너그러움의 산물인 동시에, 너그러움을 입는 방편이라는 사실입니다. 사람들이 정말로 좋아하는 것은 너그러움입니다. 즉 사람들이 선물을 좋아할 수밖에 없는 것은 그 안에 그 사람을 향한 너그러움이 담겨 있기 때문입니다.

사실 아이들이나 생각이 짧은 사람들은 너그러움보다 선물 자체에 주목합니다. 지금도 저는 아이들이 있는 집에 가면 아이들 손에 천 원짜리 한 장이라도 꼭 쥐어 주고 돌아오는 편인데, 이것은 어린 시절의 기억 때문입니다.

저는 그리 여유롭지 못한 환경에서 자란 터라, 어린 시절 돈을 만져 볼 수 있는 날은 설날이 전부였습니다.

친척 어른들께 세배를 드리고 세뱃돈을 받으면, 아이들끼리 골목 어귀에 모여 그 날의 평가회를 합니다. 그 자리에서는 세뱃돈의 크기가 준 사람의 인격의 크기입니다. 세뱃돈은 주지 않고 머리만 쓰다듬으며 덕담을 남긴 사람은 인기를 끌지 못하지만, 지갑을 열어 고액권 지폐를 꺼내 준 사람은 아이들 사이에서 최고 근사한 어른으로 기억됩니다.

어린 마음에 간만에 만져 보는 돈은 가슴 설레는 즐거움이었습니다. '이 돈으로 무엇을 할까? 장난감을 살까? 사탕을 사 먹을까?' 상상하는 것만으로도 웃음이 나왔습니다.

그런데 철이 들면서 손에 쥐어 주는 돈 자체보다도 그것을 주는 사람의 마음에 주목하게 되었습니다. 무엇인가 과시하려는 태도로 지갑을 여는 사람이 주는 돈은 큰 돈이라도 그리 반갑지 않았습니다. 그러나 평소에는 먹고 싶은 것도 참고 사고 싶은 것도 포기해야 했던 가난한 아이가 설날 하루만이라도 즐거운 추억을 가졌으면 하는 마음으로, 자신도 풍족하지는 않은 가운데 나누어 준 돈은 오래도록 가슴을 따뜻하게 했습니다.

받는 사람의 마음을 기쁘게 하는 것은 돈의 액면 가치가 아니라 그것을 건네는 사람의 마음의 너그러움임을 철이 들면서 깨닫게 된 것입니다.


## 사람을 끄는 힘, 너그러움

어디를 가나 사람을 몰려들게 하는 사람이 있는가 하면, 수많은 사람들과 있어도 섬처럼 홀로 뚝 떨어져 외롭게 있는 사람이 있습니다.

예전에 어느 수련회에 강사로 초청을 받아 갔을 때의 일입니다. 우연히 지나다가 유리창 너머로 식당의 모습이 눈에 들어왔는데, 일면식이 있는 사역자 한 사람이 긴 테이블에 홀로 앉아 식사를 하고 있었습니다. 사람들로 바글바글한 식당에서 유독 그의 주위만 한산한 것이 이상해

잠시 바라보다 보니, 그와 시선이 마주치고 말았습니다.

그는 겸연쩍은 표정을 짓더니, 밥을 먹다 말고 나와서 제게 인사를 했습니다. 그러더니 자신의 테이블만 텅 비어 있는 것이 본인이 보기에도 민망했던지 이런 말을 했습니다. "원래 지도자는 외롭다고 하지 않습니까? 성도들이 저를 좀 어려워하는 것 같습니다. 하지만 사역을 하려면 어쩔 수 없지요."

그 교회의 사정에 대한 이해가 있는 것도 아니고, 그 사역자에 대해 잘 아는 것도 아니어서 그에게 별다른 말을 하지는 않았지만, 저는 결코 그의 생각에 동의할 수 없었습니다. 지도자의 외로움은 그런 것이 아닙니다. 식판을 들고 나타나기 무섭게 그와 함께 이야기를 나누며 밥을 먹고 싶은 사람들이 앞다투어 다가와 앉는 것이 정상이지, 식판을 들고 앉기가 무섭게 그 테이블에 있던 사람들이 쭈뼛쭈뼛 일어나 도망가기 바쁜 것이 정상입니까?

교회의 사역자이든, 장로이든, 안수집사이든 따르는 사람이 있는 지도자가 건강한 지도자입니다.

물론 사안에 따라 따르는 사람들과 견해를 달리할 수도 있고, 때로는 다른 입장에 서게 될 수도 있습니다. 그러나 그렇다 하더라도 지도자는 의견을 달리하는 사람들에게까지 신망과 호감을 살 수 있어야 합니다. 그와 함께 소통하고 그 사람과 인격적으로 교제하는 것이 유익하고 즐거워서, 어찌하든 그와 함께 할 수 있는 기회를 놓치고 싶지 않게 만드는 지도자가 바른 지도자인 것입니다.

여러분은 사람을 끄는 매력이 있는 사람입니까? 이것을 좌우하는 것은 외모도 화술도 아닙니다. 뛰어난 외모와 재미있는 화술은 잠시는 주목을 끌 수 있을지 몰라도, 지속적으로 사람을 매료시키지 못합니다. 어디를 가든 따르는 사람들이 있고, 무엇을 하든 돕는 사람이 많은 사람은 너그러운 사람입니다. 누구나 너그러운 사람을 좋아하고, 너그러운 사람 곁에 머물고 싶어합니다.

그러나 너그러워지는 것은 그리 쉬운 일이 아닙니다. 너그러움이라는 것은 받는 자의 편에서는 여유로움이지만, 주는 자의 편에서는 희생입니다. 가지고 있으면 혼자 쓸 수 있는 시간인데, 너그러우려면 다른 사람에게 내줘야 합니다. 한 푼 두 푼 모으면 상당한 액수의 돈이 되지만, 너그러우려면 아낌없이 다른 사람들을 위해 사용해야 합니다.

이것은 단순히 당장의 이익을 포기하는 것이 아니라, 자신의 미래의 편안함을 희생하는 것입니다. 너그러움이 좋다는 것을 알지만, 너그러워지는 것이 쉽지 않은 것은 이러한 이유 때문입니다.


## 관포지교의 교훈

여러분은 관포지교라는 말을 알 것입니다. 아주 친한 친구 사이를 일컫는 표현인데, 이 말에는 다음과 같은 고사가 있습니다.

『사기』(史記) 중 『관안열전』(管晏列傳)에 의하면 기원전 7세기 중국 춘추시대 제나라에 관중(管仲)과 포숙(鮑叔)이 살았습니다. 둘은 어릴 적부터 절친한 친구 사이였습니다. 포숙은 자본을 대고 관중은 경영을 담당하여 동업을 하였는데, 이익금을 관중이 독차지하였습니다. 그러나 포숙은 관중의 집안이 가난하기 때문이라고 너그럽게 이해하였습니다.

이후 관중은 3번 벼슬에 나갔다가 3번 다 쫓겨나는데, 이 때에도 포숙은 그런 관중을 무능하다 하지 않고 시운을 만나지 못한 것이라며 감싸주었습니다. 둘은 함께 전쟁에 나가기도 했는데, 관중은 전쟁터에서 3번이나 도망을 칩니다. 그러나 포숙은 관중을 비겁하다 하지 않고 관중에게는 늙은 어머니가 계시기 때문이라고 변호합니다.

후에 관중은 포숙의 천거로 다시 벼슬에 나가 명재상으로 명성을 얻게 되는데, 이 때 관중은 끝까지 자신을 믿어 준 포숙에 대해 이렇게 말했습니다. "나를 낳은 것은 부모이지만 나를 아는 것은 오직 포숙뿐이다"(生我者父母 知我者鮑子也).

관중은 자신이 지은 책 『관자』(管子)에 다음과 같은 말을 남깁니다. "태산은 아무리 작은 돌이나 흙이라도 받아들임으로써 저처럼 높게 된다. 큰 인물이 되려면 도량을 넓게 하여 많은 인물을 받아들이는 아량이 필요하다."

그렇습니다. 사람은 나이가 들어갈수록, 지위가 올라갈수록, 책임과 권한이 많아질수록 너그러워져야 합니다. 그것이 어른의 태도이고, 아랫사람으로부터 존경받는 비결입니다.

그러나 안타깝게도 오늘날 우리는 어른다운 어른을 만나기가 쉽지 않은 시대를 살고 있습니다. 정치 지도자는 물론 사회의 각 분야 지도

급 인사, 가깝게는 직장의 상사나 집안 어른, 심지어 교회에서 만나는 신앙의 선배들에게서조차 넓은 아량을 보여주는 사람을 찾기가 어렵습니다.

## 사고의 너그러움

저는 진리가 아닌 것에 대해서는 지나치게 선명한 견해를 가질 필요가 없다고 생각하는 사람입니다. 진리에 대해서는 견해가 선명해야 하지만 아디아포라(adiaphora)의 문제, 즉 아무렇게나 해도 좋은 비본질적인 것들에 대해서는 자신의 입장을 숙일 줄도 알아야 합니다. 자신이 강하게 무엇을 희망해도 그냥 마음에 묻고 자신의 기호와 전혀 다른 견해에 대해서도 고개를 끄덕일 수 있어야 하는 것입니다.

이것은 모호한 것이 아니라 아량 있는 것입니다. 진리에 대해서는 단호해야 하지만, 진리와 관계가 적고 옳고 그름이 분명하지 않은 일에 대해서는 굳이 분명하게 입장을 표명할 필요가 없습니다.

인쇄술과 미디어 산업의 발전 그리고 인터넷의 보급 등으로, 지금 우리는 과거 그 어느 때보다 많은 정보와 다양한 의견에 노출되어 살고 있습니다.

그러나 서로의 다양성을 인정하는 데는 오히려 더 많이 인색해져 있습니다. 다른 사람의 생각과 삶에 대해 더 많은 정보를 갖게 된 것이 타인을 이해하고 다양성을 인정하는 데 기여한 것이 아니라, 타인을 비판하는 데 기여하고 있는 것입니다. 지식의 크기 자체는 커졌을지 몰라도 그 지식을 수용하는 사고의 깊이와 너그러움은 얄팍하기 그지없다는 인상을 지울 수가 없습니다.

현대인의 사고로는 잠언의 말씀도 이해가 되지 않을 것입니다. "너그러운 사람에게는 은혜를 구하는 자가 많고 선물을 주기를 좋아하는 자에게는 사람마다 친구가 되느니라"(잠 19:6)고 했는데, 현대인의 사고로는 은혜를 구하는 사람이 많으면 피곤하기만 하고, 선물을 주면서 친구를 만드느니 친구 없이 혼자 다 누리고 사는 것이 낫다고 생각할 것이기 때문입니다.

그러나 이것은 인생의 복이 무엇인지 모르는 사람들의 생각입니다. 사람들로 하여금 자신에게 많이 기대게 하고, 또 자신에게 기댄 그 사람들과 함께 하나님께 기대고, 그렇게 하나님을 바라보며 의지해서 사는 것이 인생의 참된 행복입니다. 그러므로 도와달라는 사람이 많고, 하소연하는 사람이 많고, 믿고 따르는 사람이 많으면 힘들겠다는 생각은 인생의 참된 행복에 대한 무지에서 비롯된 경박한 오해입니다.

하지만 인생의 참된 행복이 무엇인지 안다고 해서 누구나 다른 사람들에게 기대 쉴 곳이 되어 줄 수 있는 것은 아닙니다. 사람이라는 존재는 영혼을 가진 존재이고, 감정과 함께 직관이 있습니다. 그래서 어린아이일지라도 사람을 보는 통찰을 가지고 있습니다. 단순히 잘해 준다고 해서 마음을 주는 것이 아닌 것입니다.

견해의 다양성을 인정해 주면서 어느 견해를 가진 사람이라도 나를 자신의 편에 선 사람이라고 생각하게끔 만들어 주는 것, 이것은 "그래! 너도 맞고, 너도 옳다!"라고 말한다고 해서 되는 일이 아닙니다.

정말로 마음이 너그러워서, 그 큰 마음의 크기로 인해 나오는 태도일 때 제대로 빛을 발합니다. 너그러움도 없으면서, 그냥 입술로 그렇게 말만 할 뿐이라면 소신도 주관도 없는 사람으로 낙인 찍힐 뿐입니다.

태도에 너그러움이 베이길 원하십니까? 넓은 아량의 성품을 소유하고 싶습니까? 이것은 하루아침에 이루어지는 것이 아닙니다.

끊임없이 자신을 베풀고 희생할 뿐 아니라 남보다 더 깊이 생각하고 더 치열하게 고민하며 사고의 깊이와 넓이를 꾸준히 키워 간 사람만이 너그러운 사람이 될 수 있습니다. 그리고 그런 사람에게라야 사람들이 다가와 은혜를 구할 수 있습니다.

우리의 눈으로는 태양을 직접 볼 수 없습니다. 그러나 태양의 빛과 온기, 그리고 태양이 만드는 수많은 효과들에 의해 태양을 알 수 있습니다.

마찬가지입니다. 사람의 마음도 직접 볼 수는 없지만, 그 사람이 행하는 작은 행동 하나 하나를 통해 나타납니다.

우리의 태도는 우리가 누구인지를 말해 줍니다. 친구가 없고 외로운 사람들은 사람들이 자기를 따돌린다고 생각하는데, 그것은 자신이 먼저 편협하고 이기적인 태도를 취했기 때문입니다. 엄밀한 의미에서 자신이 자기를 따돌리게 만든 것입니다.

우리는 천국을 보여주는 맛보기로, 하나님의 사랑을 보여주는 증인으로 이 땅에 살고 있는 사람들입니다. 따라서 우리에게는 다른 사람을 위하여 베푸는 삶이 생활의 일부분이 되어 있어야 합니다. 우리의 내면이 너그러움으로 가득해, 다른 사람들을 이해하고 궁핍한 사람들을 돕는 것이 중대한 결심을 통해서가 아니라 숨 쉬는 것처럼 자연스럽게 실천되도록 합시다.

## 너그러움의 원천, 박애적 사랑

하나님은 피조 세계 전체가 한 몸을 이루면서 서로 덕을 나누며 살아가도록 만드셨습니다. 인류 전체를 하나의 가족으로 묶으시려 했던 하나님의 아름다운 창조의 계획을 묵상하며, 다른 사람들에게 너그러워지십시오.

너그러움을 가능하게 하는 힘은 '사랑' 입니다. 목적적인 사랑은 사랑의 대상이 가치가 있기 때문에 사랑하게 되는 것이고, 박애적 사랑은 그 대상의 가치와는 상관없이 내 마음속에서 솟아나는 사랑이 있기 때문에 사랑하게 되는 것인데, 너그러움을 가능하게 하는 사랑은 바로 박애적 사랑입니다.

누군가 우리에게 은혜를 구한다면, 끊임없이 용납하고, 기다려 주고, 믿어 주고, 이해해 주고, 돌보아 주십시오. 우리가 숨 쉬며 살아가는 모든 날 동안, 우리가 있음으로 인해 우리 주변의 사람들이 덕을 입도록 하십시오.

하나님이 아무리 선하고 좋은 것을 주셔도, 우리 자신이 그것을 누리는 최종적인 종착역이 되면 우리는 그것과 함께 부패하고 맙니다. 하지만 그것이 우리를 통해 흘러가면, 그것은 돌고 돌아 더 큰 은혜와 축복으로 우리에게 돌아옵니다.

예수님은 "주라 그리하면 너희에게 줄 것이니 곧 후히 되어 누르고 흔들어 넘치도록 하여 너희에게 안겨 주리라 너희가 헤아리는 그 헤아림으로 너희도 헤아림을 도로 받을 것이니라"(눅 6:38)라고 가르치셨습니다. 너그럽게 타인에게 자신을 허락하고 자신의 모든 것을 아낌없이 베푸는 것은 예수 그리스도를 따라가는 삶의 정신이며 하나님으로부터 더 큰 축복을 얻는 비결입니다.

## 인생의 참 기쁨

언젠가 신문에서 인도에 사는 어느 부자가 1조 6천억 원을 들여 집을 지었다는 기사를 보았습니다. 집안에 영화관이 두 개이고, 집에서 일하는 사람 수만 640명이라고 적혀 있었습니다. 그런데 솔직한 이야기로 하나도 부럽지 않았습니다. 그렇게 살면 행복할까요?

사람은 자신이 쓸모 있는 존재임을 확인할 때 만족과 기쁨을 누립니다. 행복하기 위해서는 진심으로 사랑해 주고, 진심으로 필요로 해주는 사람들이 있어야 합니다. 그런데 이것은 단순히 물질적인 소유가 많다고 되는 것이 아닙니다. 스스로 덕을 쌓은 사람만이, 자신이 몸 담은 세계에서 우군을 만날 수 있습니다.

저는 칼같이 분명한 것을 좋아하는 사람입니다. 그러나 산전수전 화생방전까지 겪으면서 깨달은 삶의 지혜가 있다면, 불필요하게 선명한 견해를 가질 이유는 없다는 것이었습니다. 진리와 관계되어 있거나 양보할 수 없는 가치가 걸린 문제라면, 온 세상 사람들이 저에게서 등을 돌린다고 할지라도 견해를 굽힐 생각이 없습니다. 사람을 등지는 것은 결코 두려워할 일이 아닙니다.

우리가 정말로 두려워해야 하는 것은 하나님을 등지는 일입니다. 하나님과의 신의를 잃는다면 수많은 친구를 얻은들 그게 무슨 소용이 있겠습니까?

하나님은 우리의 인생의 보호자이시며, 존귀이시며, 억울하고 고통스러울 때 신원해 주시는 분입니다. "여호와여 주는 나의 방패시요 나의 영광이시요 나의 머리를 드시는 자이시니이다"(시 3:3).

그런 하나님을 잃어버리고 쓰레기 같은 사람들을 수없이 많은 친구로 삼은들 그게 무슨 기쁨이겠습니까? 그러므로 사람의 눈치를 보거나, 사람의 판단을 두려워할 필요는 없습니다. 사람을 서운하게 하지 않으면 하나님을 서운하게 할 상황이라면 주저하지 말고 칼같이 선명하게 견해를 밝혀야 합니다.

그러나 사소하고 별것 아닌 문제들에 대해서는 자기의 입장을 분명하게 견지할 필요가 없습니다. 반드시 입장 표명을 해야 하는 중대한 사안이 아닌데도, 공연히 자기 나름의 생각을 밝혀 견해를 달리 하는 사람들의 미움을 사거나 배척을 받는 것은 어리석은 태도입니다.

간혹 저에 대한 기사나 제 설교를 연구한 논문에서, 저를 '정치적인 견해가 분명하지 않은 설교자'라고 언급하는 것을 봅니다. 사회와 정치에 대한 비판이 없다는 것입니다.

그러나 언급하지 않는다고 해서 견해가 없는 것은 아닙니다. 그저 굳이 언급하여 다른 견해를 갖고 있는 사람들의 반감을 살 필요는 없다고 판단하였을 뿐입니다. 보수와 진보가 편 가르기 하는 곳에 합세하여 노선을 정하고 싶지 않고, '신공항을 짓느냐 마느냐, 어디에 짓느냐?' 등 첨예하게 이권이 대립하는 사회적 현안에 굳이 제 생각을 밝히고 싶지 않습니다. 입장과 견해가 없는 것은 아니지만, 그것을 반드시 관철시켜야 한다고 생각하지 않으며, 제 입장과 견해만이 정답이라고 생각하지 않기 때문입니다.

자신의 생각과는 다른 의견이라 해도 "아! 그럴 수도 있겠네요."라고 말해 줄 수 있어야 합니다. 진리도 아닌 것에 목숨을 걸고, 적을 만들어 낼 필요는 없습니다.

다른 사람의 실수와 잘못은 물론, 다른 사람의 생각과 판단에 대해서도 너그러운 태도를 가지십시오. 본문은 "너그러운 사람에게는 은혜를 구하는 자가 많고 선물을 주기를 좋아하는 자에게는 사람마다 친구가 되느니라"(잠 19:6)라고 말하고 있습니다.

사람은 누구나 너그러운 태도의 사람과 가까이 하고 싶어합니다. 그래서 너그러운 사람에게는 은혜를 구하는 자도 많습니다. 물론 은혜를 구하는 사람이 많아지는 것이 좋기만 한 일은 아닙니다. 그러나 은혜를 구하는 사람이 많아져서 피곤하고 고단해지는 것은 괴로움이 아니라 인생을 사는 보람이요 기쁨입니다. 도움을 받기보다는 도움을 주고, 위로를 받기보다는 위로를 베풀고, 구제를 받기보다는 구제를 하는 사람이 되었다는 것인데, 이 얼마나 감사합니까?

## 선물의 효과

그러면서 병행 어법으로 나오는 것이 "선물 주기를 좋아하는 자에게는 사람마다 친구가 된다"입니다. 여기서 선물은 말 그대로 선물이지 뇌물이 아닙니다. 무엇인가 이해관계가 맞아서, 어떤 대가나 보상을 기대하며 주는 것은 뇌물입니다. 선물은 그가 좋고 사랑스러워서 또는 너무 고마워서, 그가 기뻐하면 나는 그것으로 충분히 보상을 받았다고 생각하기에 주는 것입니다. 이것이 선물의 목적입니다.

그래서 하나님이 우리에게 예수 그리스도를 보내 주신 것도, 구원의 은혜를 허락하신 것도, 우리는 모두 하나님의 선물이라고 말합니다.

"자기 아들을 아끼지 아니하시고 우리 모든 사람을 위하여 내어 주신 이가 어찌 그 아들과 함께 모든 것을 우리에게 은사로 주지 아니하시겠느뇨"(롬 8:32, 개역 한글)라는 사도 바울의 고백을 보십시오. 여기서 "은사"는 헬라어 카리스(charis), 즉 선물입니다.

뇌물은 사랑하는 마음이 없어도 이해관계만 맞으면 할 수 있지만, 선물은 사랑하는 마음 없이는 할 수 없습니다. 하나님이 우리를 사랑하셨기에 독생자를 주셨듯, 우리의 선물도 사랑을 기초로 합니다. 선물이 사랑의 산물이기에, 선물은 친구를 만들어 줍니다. 엄밀히 이야기하면 선물이 친구가 되게 하는 것이 아니라 선물에 담긴 사랑이 친구가 되게 하는 것입니다.

반대 급부를 바라지 말고, 사랑을 베푸십시오. 나눌 것이 있으면 나누고, 흘려 보낼 것이 있으면 흘려 보내십시오. 그러면 우리는 우리를 사랑하는 친구들을 많이 얻게 될 것입니다.

너그러운 태도로 베풀며 살아가라는 것은 다른 사람에게 무엇을 안겨 주어서 자기를 추종하게 하라는 것이 아닙니다. 이것은 예수 그리스도를 따라 살아가는 행복 안에서 예수 그리스도로부터 온 것을 사람들에게 베풂으로 함께 예수 그리스도를 즐거워할 수 있는 연합을 이루고자 함입니다.

### 도르가처럼

도르가를 아십니까? 사도행전에 등장하는 여인입니다.

"욥바에 다비다라 하는 여제자가 있으니 그 이름을 번역하면 도르가라 선행과 구제하는 일이 심히 많더니 그때에 병들어 죽으매 시체를 씻어 다락에 누이니라 룻다가 욥바에서 가까운지라 제자들이 베드로가 거기 있음을 듣고 두 사람을 보내어 지체 말고 와 달라고 간청하여 베드로가 일어나 그들과 함께 가서 이르매 그들이 데리고 다락방에 올라가니 모든 과부가 베드로 곁에 서서 울며 도르가가 그들과 함께 있을 때에 지은 속옷과 겉옷을 다 내 보이거늘 베드로가 사람을 다 내보내고 무릎을 꿇고 기도하고 돌이켜 시체를 향하여 이르되 다비다야 일어나라 하니 그가 눈을 떠 베드로를 보고 일어나 앉는지라 베드로가 손을 내밀어 일으키고 성도들과 과부들을 불러 들여 그가 살아난 것을 보이니 온 욥바 사람이 알고 많은 사람이 주를 믿더라"(행 9:36-42).

성경은 도르가를 선행과 구제에 앞장서던 신실한 믿음의 사람이었다고 증언합니다. 그런데 그도 결국 병이 들어 죽고 말았습니다. 때마침 가까운 곳에 베드로가 있었기에, 욥바에 있던 제자들은 베드로를 청해 옵니다.

그런데 베드로가 도착하자 가슴 뭉클한 장면이 펼쳐집니다. 수많은 과부들이 나아와 도르가가 만들어 주었던 겉옷과 속옷들을 보여주며 슬피 울었던 것입니다.

성경에 다른 설명은 없지만, 도르가가 예수 믿는 사람만 한정하여 옷을 만들어 주었겠습니까? 또한 옷만 만들어 주었겠습니까? 그녀는 옷을 만들어 준 것 이외에도 무수한 선행을 베풀었을 것입니다. 그녀는 믿는 사람 믿지 않는 사람 가리지 않고, 욥바의 헐벗은 사람들 모두를 긍휼히 여기며 힘 닿는 대로 은혜를 베풀었고, 그런 착하고 너그러운 삶이 욥바 사람들을 감동시켰습니다.

사랑하는 여러분! 우리 안에 진리가 있다는 표징은 진리를 말하는 것이 아닙니다. 자기 자신을 베푸는 너그러운 삶이야말로 우리 안에 진리가 있다는 것을 알리는 표징입니다. 오늘날 복음 전파가 자꾸 막히는 것은 믿음은 있다고 하는데 너그럽지 않은 그리스도인이 너무 많기 때문입니다.

적어도 마음에 예수 그리스도를 품고 있는 사람이라면, 삶으로 다르다는 것을 보일 수 있어야 합니다. 도르가에게는 자기를 희생하더라도 남을 돕고자 하는 너그러운 마음이 있었고, 그렇게 이웃들을 진심으로 사랑하자, 하나님은 그의 죽음을 사용하여 욥바를 돌이키셨습니다.

우리를 아는 모든 사람이 우리가 예수 믿는 덕을 볼 수 있게 살아갑시다. 그것이 복음이 전파되는 비결이요, 현실적인 복을 누리며 살아가는 삶입니다.

생명의말씀사

## 사 | 명 | 선 | 언 | 문

> 너희가 흠이 없고 순전하여……세상에서 그들 가운데 빛들로
> 나타내며 생명의 말씀을 밝혀 (빌 2:15-16)

### 1. 생명을 담겠습니다.
만드는 책에 주님 주신 생명을 담겠습니다.
그 책으로 복음을 선포하겠습니다.

### 2. 말씀을 밝히겠습니다.
생명의 근본은 말씀입니다.
말씀을 밝혀 성도와 교회의 성장을 돕겠습니다.

### 3. 빛이 되겠습니다.
시대와 영혼의 어두움을 밝혀 주님 앞으로 이끄는
빛이 되는 책을 만들겠습니다.

### 4. 순전히 행하겠습니다.
책을 만들고 전하는 일과 경영하는 일에 부끄러움이 없는
정직함으로 행하겠습니다.

### 5. 끝까지 전파하겠습니다.
모든 사람에게, 땅 끝까지, 주님 오시는 그날까지
복음을 전하는 사명을 다하겠습니다.

생명의말씀사 서점안내

**광화문점** 110-061 종로구 신문로1가 58-1 구세군 회관 2층
　　　　　TEL.(02) 737-2288 / FAX.(02) 737-4623
**강 남 점** 137-909 서초구 잠원동 75-19 반포쇼핑타운 3동 2층 전관
　　　　　TEL.(02) 595-1211 / FAX.(02) 595-3549
**구 로 점** 152-880 구로구 구로 3동 1123-1 3층
　　　　　TEL.(02) 858-8744 / FAX.(02) 838-0653
**노 원 점** 139-200 노원구 상계동 749-4 삼봉빌딩 지하1층
　　　　　TEL.(02) 938-7979 / FAX.(02) 3391-6169
**분 당 점** 463-824 경기도 성남시 분당구 서현동 273-1 대현건물 3층
　　　　　TEL.(031) 707-5566 / FAX.(031) 707-4999
**신 촌 점** 121-806 마포구 노고산동 107-1 동인빌딩 8층
　　　　　TEL.(02) 702-1411 / FAX.(02) 702-1131
**일 산 점** 411-370 경기도 고양시 일산구 주엽동 83번지 레이크타운 지하 1층
　　　　　TEL.(031) 916-8787 / FAX.(031) 916-8788
**의정부점** 484-010 경기도 의정부시 금오동 470-4 성산타워 3층
　　　　　TEL.(031) 845-0600 / FAX.(031) 852-6930

인터넷서점

http://www.lifebook.co.kr